INHALTSVERZEICHNIS

Die Wannsee-Konferenz vom 20. Januar 1942

John Dewes
December 2012

Peter Longerich

DIE WANNSEE-KONFERENZ VOM 20. JANUAR 1942:

Planung und Beginn des Genozids an den europäischen Juden

Öffentlicher Vortrag
im Haus der Wannsee-Konferenz
am 19. Januar 1998

ergänzt durch eine
Kommentierte Auswahlbibliographie zur
Wannsee-Konferenz und dem Beginn des
Völkermords an den europäischen Juden

mit einem Faksimile des
Konferenz-Protokolls

Publikationen
der Gedenk- und Bildungsstätte
Haus der Wannsee-Konferenz

herausgegeben von Norbert Kampe

EDITION HENTRICH

Foto Umschlag:
Der Konferenzraum im Jahre 1922
aus der Zeitschrift „Die Dame" (Ullstein) Nr. 21/1922.
Die SS übernahm beim Kauf des Hauses im November 1940
das gesamte Mobiliar des Eßzimmers inklusive Gobelin.

Publikationen der Gedenk- und Bildungsstätte
Haus der Wannsee-Konferenz,

herausgegeben von Norbert Kampe

Band 7

Gestaltung und Herstellung:
Druck- und Verlagsgesellschaft
Rudolf Otto mbH, Berlin

ISBN 3-89468-250-7

1. Auflage 1998

VORWORT

Das Protokoll der Konferenz vom 20. Januar 1942 im Gästehaus der SS, Am Großen Wannsee 56–58, über organisatorische Fragen der Deportation und Ermordung von 11 Millionen europäischer Juden, gilt seit seiner Entdeckung im Jahre 1947 als ein Schlüsseldokument. Zwar berichten eine Fülle von weiteren Dokumenten aus den Amtsstuben der Täter und diverser deutscher Behörden die Details des Völkermords – um von den Zeugnissen der Opfer, der Überlebenden und der Zuschauer gar nicht zu sprechen –, doch ein weiterer derartiger Beleg für einen großen Gesamtplan (oder zumindest für eine Absichtserklärung) zur Begehung eines ungeheuren Staatsverbrechens als Ergebnis einer Dienstbesprechung von Staatssekretären und SS-Führern ist bisher nicht aufgefunden worden. Kaum ein zweites Dokument veranschaulicht in so komprimierter Form die Bereitschaft zur Mitwirkung der traditionellen, vornazistischen staatlichen Instanzen.

Es ist aber nicht nur der überlieferte Text mit seiner bürokratisch verklausulierten und dennoch zynisch offenen Sprache, an den bei dem Stichwort „Wannsee-Protokoll" gedacht wird. Die Atmosphäre der Besprechung wird immer mitgedacht:

Im großbürgerlichen Ambiente des Speisezimmers einer ehemaligen Industriellen-Villa mit idyllischer Uferlage und im exklusivsten Berliner Vorort gelegen, lassen sich hochrangige Ministerialbeamte ungeschminkt von Mordpraktikern berichten, was in den besetzten Teilen der Sowjetunion mit den Juden bereits geschieht. Bei anregenden Getränken und einem anschließenden Frühstück erfahren sie, daß nun systematisch alle deutschen und schließlich alle europäischen Juden im deutschen Einflußbereich nach Polen deportiert und dort – teils nach Ghetto-Internierung und Arbeitseinsatz – sterben oder ermordet werden. In der Diskussion geben sie Anregungen und vertreten die spezifischen Interessen ihrer jeweiligen Behörden. Grundsätzliche Einwände gegen das monströse wie gigantische Mordvorhaben erheben sie nicht.

Die arbeitsteilige Verstrickung in das Verbrechen, die hier auf hoher Ebene deutlich erkennbar wird, sollte in den folgenden Monaten viele Deutsche und deren Kollaborateure zu Tätern machen.

Es verwundert nicht, daß Alt und Neonazis sowie die sich als wissenschaftlich tarnenden „Revisionisten" dieses Schlüsseldokument in immer neuen wie altbekannten Anläufen als amerikanische Fälschung entlarven wollen. Als ob sich an den Tatsachen des Völkermords ohne die Existenz des Wannsee-Protokolls auch nur irgend etwas ändern würde. Ist den „Revisionisten" gerade der Aspekt der längerfristigen Planung und der arbeitsteiligen Verstrickung so verhaßt, weil man hier kaum mit dem „allgemein üblichen Kriegsgreuel", der angeblichen „Partisanen-Bekämpfung" oder der „Seuchen-Prävention" relativieren kann?

In der seriösen Forschung ist die Echtheit des Wannsee-Protokolls nie bezweifelt worden. Überhaupt ist die Forschung zu den Fragen, wie es möglich war, den Völkermord zu beginnen, wie er allmählich anlief und organisiert wurde, in den letzten Jahren kräftig in Bewegung geraten. Vor allem durch neue Lokalstudien läßt sich die Interaktion zwischen den Befehlszentralen in Berlin und den ausführenden Mördern vor Ort rekonstruieren. In diesem Zusammenhang muß auch die Rolle des Treffens am Wannsee für den Prozeß der Ingangsetzung des Völkermords erneut untersucht werden.

Ich bin sehr dankbar, daß Herr Dr. Peter Longerich unserer Bitte entsprochen hat, die Wannsee-Konferenz im Zusammenhang jüngster Forschungen zu betrachten.

Herr Longerich ist 1955 geboren, lebt in München und London, wo er am Royal-Holloway-College der Universität London unterrichtet. Er hat sich einen Namen gemacht mit einer Reihe von wichtigen Darstellungen und Quellensammlungen zur Geschichte des „Dritten Reichs".

Er bereitet für den Herbst diesen Jahres die Veröffentlichung eines Buches mit dem Titel „Politik der Vernichtung" vor. Dort werden sich dann auch die Belegstellen für die hier vorgetragenen Zitate finden.

Wir hielten es für unzweckmäßig, den nun gedruckt vorgelegten Vortrag nachträglich mit einem umfangreichen Anmerkungsapparat zu überfrachten. Stattdessen haben wir eine kommentierte Auswahlbibliographie zum Thema des Vortrags angefügt, in der sich u.a. die von Herrn Longerich erwähnten Arbeiten finden. Wir hoffen damit eine nützliche Hilfestellung zur Einarbeitung in diesen Forschungsbereich geben zu können.

Mein Dank gilt Herrn Peter Klein für die Bearbeitung dieser Bibliographie.

Im Anhang findet der Leser ein Faksimile des Konferenz-Protokolls zusammen mit dem Begleitschreiben Heydrichs an den Vertreter des Auswärtigen Amtes.

Norbert Kampe
Leiter des Hauses der Wannsee-Konferenz

PETER LONGERICH

DIE WANNSEE-KONFERENZ VOM 20. JANUAR 1942:
Planung und Beginn des Genozids an den europäischen Juden

Am 20. Januar 1942, also morgen vor 56 Jahren, leitete der Chef der Sicherheitspolizei und des SD, Reinhard Heydrich, in diesem Raum eine Besprechung von Staatssekretären sowie von hohen Partei- und SS-Funktionären, die unter dem Namen „Wannsee-Konferenz" in die Geschichte eingehen sollte.

Die von Adolf Eichmann verfaßte Niederschrift über diese Konferenz ist eines der wichtigsten überlieferten Dokumente zur Planung und Organisation des millionenfachen Mordes an den europäischen Juden durch das NS-Regime. Durch dieses Dokument ist die Konferenz am Großen Wannsee als Synonym für den kaltblütigen, verwaltungsmäßig und arbeitsteilig organisierten Massenmord der NS-Zeit in der Erinnerung.

Die Tatsache, daß hochrangige Vertreter der Ministerialbürokratie den einleitenden Vortrag Heydrichs über das Schicksal von 11 Millionen europäischer Juden in der entspannten, großbürgerlich geprägten Atmosphäre dieses Gästehauses der SS kommentarlos zur Kenntnis nahmen, verdeutlicht auf erschreckende Weise, daß die Verantwortung für den Genozid weit über den Bereich der SS hinausreicht. Man kann sich in Deutschland wohl kaum einen besseren Ort vorstellen, um die Erinnerung an dieses Verbrechen wachzuhalten und über dessen Ursachen nachzudenken.

Die Genesis der „Endlösung" und die historische Forschung

Die historische Forschung beschäftigt sich seit langem mit der Frage, welche Rolle die Wannsee-Konferenz innerhalb der Planung und der Organisierung des Genozids an den europäischen Juden spielte. Die Antwort auf diese Frage ist schon deswegen nicht einfach, weil am 20. Januar 1942, als diese Konferenz stattfand, der Massenmord an den europäischen Juden bereits seit einem halben Jahr im Gange war. Es waren bereits mehrere hunderttausend Juden durch das NS-Regime ermordet worden, insbesondere in den besetzten sowjetischen Gebieten, aber auch in Serbien, wo die männliche jüdische Bevölkerung den systematischen „Repressalien" der Wehrmacht zum Opfer gefallen war, und im Warthegau, wo seit Oktober/November 1941 Gaswagen zur Ermordung der einheimischen jüdischen Bevölkerung eingesetzt wurden. Schon diese Tatsachen zeigen, daß die Wannsee-Konferenz keineswegs am Anfang des Genozids an den europäischen Juden steht.

Vielmehr ist die Wannsee-Konferenz eine wichtige Station in dem sich vom Herbst 1941 bis zum Frühjahr 1942 hinziehenden Entscheidungsprozeß, in dessen Verlauf die Führung des „Dritten Reiches" die Massaker an den Juden Ost- und Südosteuropas zu einem Gesamtprogramm zur systematischen Ermordung der Juden Europas erweiterte.

Die meisten Historiker gehen davon aus, daß der Wannsee-Konferenz eine grundlegende Entscheidung zur Ermordung aller europäischen Juden vorausgegangen sein muß, daß auf der Wannsee-Konferenz die Organisation und Durchführung des bereits eingeleiteten Genozids besprochen wurden. Wann diese grundlegende Entscheidung gefallen sein soll, ist allerdings umstritten. Eine Reihe von Historikern haben die Auffassung vertreten, daß dieser Entschluß bereits vor Beginn des Rußlandfeldzuges gefaßt wurde. Andere sind der Meinung, daß eine grundsätzliche Entscheidung im Sommer 1941, im Gefühl des Triumphes über den vermeintlichen Sieg über die Sowjetunion oder im Herbst 1941, angesichts des bereits deutlich werdenden Scheiterns des „Blitzkrieges" im Osten getroffen worden sei. Neuerdings wird durch Christian Gerlach die Ansicht vertreten, eine „Grundsatzentscheidung" Hitlers zur Ermordung der europäischen Juden sei unmittelbar nach der Kriegserklärung an die USA im Dezember 1941 ergangen, eine These, die bereits einiges Aufsehen erregt hat und auf die schon deshalb näher einzugehen ist.

Es gibt aber auch Hinweise darauf, daß eine endgültige Entscheidung zur Ermordung aller europäischen Juden erst im Frühjahr oder Sommer 1942 erfolgt sein könnte. Eine radikale Gegenposition, die etwa von Martin Broszat vertreten wurde, besagt, daß es überhaupt keine „Führerentscheidung" gab, sondern daß die Judenvernichtung „auch als ‚Ausweg' aus einer Sackgasse, in die man sich selbst manövriert hatte" entstanden sei.

Diese sehr unterschiedlichen Ansichten der Experten verweisen darauf, daß die genaue Rekonstruktion des Entscheidungsprozesses, an dessen Ende die „Endlösung" stand, ein methodisch außerordentlich schwieriges und hinsichtlich der Auswertung der Quellen mühseliges

Unterfangen ist. Denn die wichtigsten Entscheidungen, die zum Mord an den europäischen Juden geführt haben, dürften in der Regel nicht schriftlich niedergelegt worden sein; soweit Dokumente solche Entscheidungen reflektieren, haben die Täter sie mit großem Erfolg systematisch zu vernichten gesucht; die trotz alledem überlieferten Dokumente sind buchstäblich über zahlreiche Archive in vielen Ländern zerstreut. Hinzu kommt, daß die Dokumente, die den Mord selbst betreffen, in einer verschleiernden Sprache verfaßt sind – das Wannsee-Protokoll ist hierfür ein ausgezeichnetes Beispiel.

Angesichts dieser schwierigen Quellenlage ist eine genaue Rekonstruktion der einzelnen Tatkomplexe, die den Genozid an den europäischen Juden ausmachen, unerläßlich – also der Exekutionen, Deportationen, der Morde in den Lagern usw. Die disparate Quellenlage läßt uns keine andere Wahl, als von diesen Taten auf die dahinter stehenden Entscheidungen zurück zu schließen.

Die Debatte um die exakte Rekonstruktion des Entscheidungsprozesses ist – auch wenn dies zuweilen angesichts der detailreich und manchmal geradezu verbissen geführten Auseinandersetzung der Historiker den Anschein haben mag – mehr als ein Streit um Datierungen, Itinerare und Kompetenzverhältnisse. Die Frage nach der Ingangsetzung des systematischen Mordes an den europäischen Juden hängt mit Grundfragen der Interpretation der NS-Diktatur zusammen, mit der Frage nach der Rolle Hitlers, nach dem Funktionieren des Machtapparates, dem Verhalten der Eliten, nach der Rolle von Antisemitismus/Rassismus und anderem mehr. Es geht bei dem Streit um die Genesis der Endlösung nicht nur um das Wann und Wo, sondern letztlich darum, eine Antwort auf die Frage nach dem Warum zu finden.

Die Forschung zur Verfolgung und Ermordung der europäischen Juden befindet sich zur Zeit in einer Umbruchsphase. Insbesondere die Öffnung der bis dahin nicht frei zugänglichen Archive der früheren Warschauer-Pakt-Staaten seit 1990 hat die Dokumentenbasis für die Erforschung der „Endlösung" noch einmal erheblich verbreitert. Dies gilt insbesondere für das sogenannte „Sonderarchiv" in Moskau, dessen Existenz bis 1991 unbekannt war, sowie für zahlreiche regionale Archive in der ehemaligen Sowjetunion bzw. in Polen, aber auch für Archive und Geheimarchive der früheren DDR.

Seit etwa zwei bis drei Jahren erscheinen die ersten Arbeiten, die sich diese neue Archivsituation zunutze gemacht haben. Erste Regionalstudien liegen vor, wichtige Dokumente sind publiziert und Arbeiten über den Entscheidungsprozeß selbst sind veröffentlicht worden.

Weitere Untersuchungen, die wichtige Lücken schließen dürften, werden in kurzer Zeit erscheinen. Unter den bereits erschienenen Arbeiten sind insbesondere die Studien von Dieter Pohl und Thomas Sandkühler über den Judenmord in Galizien, die Dokumentensammlung von Michael Wildt zur Judenpolitik des SD, Götz Alys Buch über die „Endlösung" und Ralf Ogorrecks Studie über die Einsatzgruppen zu nennen.

Zu den wichtigen Dokumenten, die der Forschung nun zur Verfügung stehen, gehört vor allem Himmlers Terminkalender, den Christian Gerlach vor kurzem erstmalig im Hinblick auf die Genesis der „Endlösung" ausgewertet hat und auf dessen Edition durch eine Gruppe von Spezialisten, die bereits Monographien zur Geschichte des Judenmordes vorgelegt haben oder vorlegen werden, man gespannt sein darf.

Versucht man nun, eine vorläufige Bilanz aus dieser ersten Serie von Arbeiten zu ziehen, in denen die neu zugänglichen Archivbestände ausgewertet wurden, so zeigt sich ein sehr komplexes Bild des Entscheidungsprozesses zur Vernichtung der europäischen Juden. Diese Forschungsergebnisse werfen mindestens so viele neue Fragen auf, wie sie Antworten nahelegen.

Denn was gefunden wurde, sind nicht so sehr die gesuchten Schlüsseldokumente, die uns einen unmittelbaren Einblick in Entscheidungen der obersten Führungsebene geben, sondern Dokumente, die den Entscheidungsprozeß indirekt und bruchstückhaft reflektieren, Zeugnisse also, die der Interpretation breiten Spielraum lassen. Viele dieser neu entdeckten Mosaiksteine lassen zudem altbekannte Quellen in einem neuen Licht erscheinen. Bereits als gesichert geltende Forschungsergebnisse werden so in Frage gestellt. Am Beispiel des Protokolls der Wannsee-Konferenz wird dies zu zeigen sein.

Die neu erschienenen Untersuchungen ergeben ein sehr viel dichteres Bild der regionalen Geschichte sowie einzelner Aspekte des Mordes an den europäischen Juden. Sie helfen uns, die Komplexität der verschiedenen Ereignisse, die man gemeinhin mit dem Wort „Holocaust" zu umschreiben versucht, besser zu verstehen.

Auch wenn sich die Forschung zur Zeit vor allem damit befaßt, mehr und mehr Dokumente aufzuspüren und zu erschließen und die kaum noch übersehbare Zahl von erhaltenen Bruchstücken zusammenzufügen, so hängen die Ergebnisse dieser Forschungen nach wie vor entscheidend von dem Interpretationsrahmen ab, in den diese Dokumente hineingestellt werden. Die Interpretation wird vor allem durch die Frage bestimmt, welche Rolle wir der Ermordung der europäischen Juden innerhalb einer Gesamtgeschichte des „Dritten Reiches" zuweisen.

Je mehr Forschungsergebnisse zur Vernichtung der europäischen Juden ausgebreitet werden, desto deutlicher wird, daß sich dieses historische Ereignis nicht einfach als „Schreibtischmord" verstehen läßt, also als Exekution eines zu einem bestimmten Zeitpunkt angeordneten Mordbefehls. Allmählich wächst das Bewußtsein, daß wir es mit einem über mehrere Jahre andauernden Massaker unvorstellbaren Ausmaßes zu tun haben, in dem in großen Teilen Europas Hunderttausende von Tätern und Helfern unter den Augen einer unübersehbar großen Zahl von Zuschauern Millionen von Opfern quälten und umbrachten. An dem Genozid war eine große Anzahl von Institutionen in verschiedensten Funktionen beteiligt; zwischen den einzelnen Ländern und Regionen, in denen der Genozid stattfand, lassen sich erhebliche Unterschiede und Ungleichzeitigkeiten feststellen.

Angesichts der Komplexität der Ereignisse läßt sich die Vorgeschichte des Judenmordes nicht nach dem Schema von „Entscheidungsbildung – Entscheidung – Durchführung der Entscheidung" auflösen. Je mehr wir über die Tätigkeit des Apparates, der die Ermordung der europäischen Juden vorbereitet und organisiert hat, erfahren, desto deutlicher wird, daß sich die Geschichte des Genozids nur unzureichend und fragmentarisch als Geschichte von Institutionen darstellen läßt.

Für eine Interpretation der Genesis der Endlösung benötigen wir einen weiteren Rahmen und ich denke, der Begriff „Politik" kann uns hier weiterhelfen. Zunehmend begreift die Geschichtswissenschaft die „Entschlußbildung zur Endlösung" im umfassenderen Rahmen einer Politik der Verfolgung und Ermordung der Juden unter deutscher Herrschaft.

Die Elemente der Politik der Vernichtung

Die wichtigsten Elemente dieser Politik der Vernichtung lassen sich wie folgt beschreiben:
– Die Politik der Vernichtung orientierte sich an abstrakten, hochgradig ideologisierten Zielen, die durch die NS-Bewegung kontinuierlich und nachhaltig verfolgt wurden.
– Sie stand in enger Interdependenz mit anderen Politikfeldern, durchdrang diese, definierte sie zum Teil neu und wurde andererseits wiederum von diesen beeinflußt.
– Sie entwickelte sich über einen längeren Zeitraum und nahm in verschiedenen Phasen des „Dritten Reiches" unterschiedliche Formen an.

Sie war flexibel genug, um aus taktischen Gründen modifiziert, zurück-genommen oder beschleunigt zu werden; in bestimmten kritischen Situationen entwickelte sie sich sprunghaft, so daß sich Konzeption, Entscheidungsbildung und Durchführung nicht immer klar voneinander abgrenzen lassen.

– Sie war grundsätzlich innerhalb der Führung des „Dritten Reiches" konsensfähig. Gerade die Tatsache, daß es über ihre Durchführung immer wieder zu internen Konflikten kam, daß Teile des Verfolgungs-apparates zu radikalerem Vorgehen drängten, bestätigt den im Kern vor-handenen Konsens, der durch diese Auseinandersetzungen eben nicht in Frage gestellt wurde.

– Die Politik der Vernichtung wurde zumindest von einem Teil der Be-völkerung (der aktiven Anhängerschaft des Nationalsozialismus) unter-stützt. Sie wurde – wenn auch häufig in halb verdeckter Form – öffent-lich propagiert, debattiert und legitimiert. Sie hatte eine zentrale Bedeutung für die nationalsozialistische Durchdringung der deutschen Gesellschaft und war für die Sicherung und den Ausbau nationalsozia-listischer Herrschaft essentiell.

Die Vernichtungspolitik und ihre historischen Voraussetzungen gehören in das Zentrum der Interpretation des „Dritten Reiches". Wenn man davon ausgeht, daß es sich bei der Ermordung der europäischen Juden um das eigentlich historisch Besondere und Einzigartige an der NS-Diktatur handelt, dann erscheint es auch angemessen, diesen histo-rischen Vorgang als das zentrale Thema der Geschichte des „Dritten Reiches" wahrzunehmen und den Genozid nicht als bloße Funktion, Nebeneffekt oder Konsequenz anderer historischer Phänomene dieser Zeit abzuleiten.

Ausgangspunkt einer Interpretation, die sich an der Zentralität der „Judenpolitik" orientiert, sollte die Überlegung sein, daß der National-sozialismus sich das Ziel gesetzt hatte, eine vollkommen neue Form von Gesellschaftsordnung zu schaffen, eine rassisch homogene „Volksge-meinschaft". Diese Zielsetzung macht die Identität des Nationalsozia-lismus als eigenständige historische Bewegung aus. Innenpolitisch lei-teten die Nationalsozialisten aus dieser Mission ihren totalen Machtanspruch gegenüber der deutschen Gesellschaft ab; außenpoli-tisch sollte die behauptete Überlegenheit der „arischen Rasse" mit ihrem quasi natürlichen Drang nach „Lebensraum" eine Neuordnung des europäischen Kontinents entlang rassistischer Leitlinien begründen. Diese Ziele ließen sich aber schon wegen der Inkonsistenz des Rasse-begriffs nur mit Hilfe negativer Maßnahmen durchsetzen. Die von den

Nationalsozialisten propagierte „rassische Auslese" bedeutete demnach permanente Ausgrenzung und Ausmerzung sogenannter Minderwertiger. Neben der sogenannten Rassenhygiene nahm dabei die Verfolgung der Juden als angeblich „Fremdblütige" eine zentrale Rolle ein, wobei sich das relativ neue rassistische Motiv mit jahrhundertealten Stereotypen konventioneller Judenfeindschaft verbinden ließ.

Wir müssen also die furchtbare Utopie einer Gesellschaftsordnung untersuchen, deren „Homogenität" und angestrebte biologische „Aufartung" in Wirklichkeit darin besteht, beständig sogenannte „Minderwertige" auszugrenzen und auszustoßen.

Stufen der Judenverfolgung durch das NS-Regime bis zum Sommer 1941

Ich will im folgenden in aller Kürze versuchen, die wesentlichen Phasen der Vernichtungspolitik und ihrer Vorgeschichte bis zur Wannsee-Konferenz zu entwickeln.

Bis zum Kriegsbeginn war es den Nationalsozialisten gelungen, die jüdische Minderheit in Deutschland weitgehend zu vertreiben und die noch im Lande lebenden Juden in eine bedeutungslose Randexistenz zu verweisen. Im Zuge dieses Prozesses war die Mehrdimensionalität des neuen Politikfeldes „Judenpolitik" bereits deutlich geworden:

Im Innern hatten die Nationalsozialisten die gelenkte öffentliche Meinung des „Dritten Reiches" unter der Hegemonie des Rassismus neu formiert: Es gab kaum einen Bereich, in dem die „Judenfrage" jetzt nicht eine erhebliche Rolle als verbindlich vorgeschriebenes Deutungsmuster spielte. Die „Entjudung" der deutschen Gesellschaft hatte dem NS-Staat zahlreiche Interventionsmöglichkeiten eröffnet, so etwa – über die Rassegesetzgebung – eine bisher nicht gekannte Kontrolle des Privaten oder z.B. – im Zuge der „Arisierung" – tiefgreifende Eingriffe in die Wirtschaft. Auch in der Außenpolitik war es dem „Dritten Reich" bereits vor Kriegsbeginn gelungen, eine „Judenfrage" aufzuwerfen: Durch Zwangsauswanderung und Vertreibung, aber auch durch wiederholte „Racheakte" und Drohungen gegenüber den deutschen Juden, die auf diese Weise für das Verhalten des „internationalen Judentums" zur „Verantwortung" gezogen und zu Geiseln erklärt wurden, war die deutsche Judenverfolgung zwangsläufig auch zu einem internationalen Problem gemacht worden, das die Staatengemeinschaft zunehmend beschäftigte.

Im September 1939 begann eine vollkommen neue Phase der Judenpolitik. Hatte die Zahl der Juden im Gebiet des „Großdeutschen Reiches" 1939 noch etwa 300.000 Personen betragen, so befanden sich nach dem Krieg gegen Polen weit mehr als zwei Millionen Juden unter deutscher Herrschaft.

Für die NS-Bewegung bedeutete der Krieg die Chance zur Verwirklichung ihrer Pläne, ein nach rassistischen Gesichtspunkten geordnetes Imperium zu schaffen. Der Krieg stellte aus nationalsozialistischer Sicht die innere Rechtfertigung für die Ausmerzung der „Minderwertigen" dar, um „volksbiologisch" die Verluste an rassisch „Hochwertigen" auszugleichen; im Krieg als Ausnahmesituation ergab sich überhaupt erst die Gelegenheit zu einem solchen unerhörten Zivilisationsbruch. Die Drohung Hitlers vom 30. Januar 1939, im Falle eines Weltkrieges die „jüdische Rasse" in Europa zu vernichten, macht diesen Zusammenhang besonders deutlich.

Noch während des Krieges gegen Polen, Mitte September 1939, begann die deutsche Führung ein gigantisches Umsiedlungsprogramm für die neu eroberten Gebiete zu entwickeln. Mit der „Neuordnung des Lebensraumes" sollte also in den eroberten polnischen Gebieten begonnen werden.

Neben groß angelegten Umsiedlungen von Volksdeutschen und Polen sah dieses Programm die Deportation aller im deutschen Herrschaftsbereich lebenden Juden in ein „Judenreservat" im Generalgouvernement, im Distrikt Lublin, vor. Die ersten Transporte aus dem Reichsgebiet in dieses „Reservat" setzten tatsächlich im Rahmen der sogenannten Nisko-Aktion im Oktober 1939 ein, mußten jedoch nach kurzer Zeit abgebrochen werden, u.a. wegen der durch die vorgesehene Ansiedlung von Volksdeutschen in den besetzten Ostgebieten ausgelösten Menschenverschiebungen. Tatsächlich wurde jedoch der Plan eines Reservates im Distrikt Lublin weiter verfolgt. Ansatzweise, in kleineren Deportationsschüben, wurden immer wieder Anläufe zu einem solchen Verschleppungsprogramm in das Generalgouvernement unternommen.

Aus der Art und Weise, wie das Nisko-Projekt durchgeführt wurde und aus verschiedenen Kommentaren führender Nationalsozialisten läßt sich nun entnehmen, daß der Plan des sogenannten Judenreservates tatsächlich darauf hinauslief, die Juden im gesamten deutschen Herrschaftsbereich in einem Raum, in dem keine ausreichenden Lebensgrundlagen vorhanden waren, zu konzentrieren und hier durch eine Kombination von Unterernährung, Seuchen, geringer Geburtenrate etc.

das physische Ende dieser über zwei Millionen Menschen herbeizuführen, möglicherweise in einem Zeitrahmen von mehreren Generationen. Hitlers Prophezeiung vom 30. Januar 1939, in der er die Vernichtung der Juden im Falle eines Weltkrieges ankündigte, macht deutlich, daß das Reservatsprojekt auch den Charakter einer gigantischen Geiselnahme hatte. Im Falle einer weiteren Ausdehnung des Krieges – so das Kalkül der NS-Führung – besäße Deutschland in den jüdischen Geiseln ein Erpressungspotential gegenüber den Westmächten.

Es handelte sich bei dem Reservatsplan also um ein erstes Projekt zur „Endlösung", das heißt um ein Vorhaben, das unter bestimmten Umständen den Tod der großen Mehrheit der unter deutscher Herrschaft lebenden Juden vorsah; ein Projekt, dessen Radikalität völlig deutlich wird, wenn man es im Zusammenhang mit anderen nach Kriegsbeginn ausgelösten „rassenpolitischen" Maßnahmen des NS-Regimes sieht: den Massenerschießungen Zehntausender polnischer Zivilisten (darunter Tausende von Juden) sowie den Morden an Kranken und Behinderten im Zuge der sogenannten „Euthanasie".

An dem Projekt eines „Judenreservates" sollte in den kommenden beiden Jahren festgehalten werden, wobei sich allerdings die Lage des Reservatsraums änderte: Nach dem Sieg über Frankreich wurde Madagaskar ins Gespräch gebracht, Anfang 1941, mit den Vorbereitungen für „Barbarossa" (so das Codewort für den Angriff auf die Sowjetunion) wurde der Plan gefaßt, die Juden innerhalb des deutschen Machtbereichs in die zu erobernden Gebiete der Sowjetunion zu deportieren. Auch wenn sich die Geographie dieser Pläne änderte: Gemeinsam war ihnen stets die Perspektive der physischen „Endlösung", wenn diese sich auch über einen längeren Zeitraum hinziehen sollte.

Die Vorstellung, es habe eine Phase gegeben, in der über „territoriale Lösungen" nachgedacht wurde, die – durch eine irgendwann im Laufe des Jahres 1941 gefällte grundsätzliche Entscheidung zur Vernichtung der europäischen Juden – von einer späteren „Endlösungsphase" zu trennen sei, geht meiner Ansicht nach an dem wesentlichen Inhalt der Pläne der NS-Judenpolitiker vorbei: Auch die „territoriale Lösung" war stets als „Endlösung" konzipiert, sie sollte letztlich das physische Ende der großen Mehrheit der Juden bedeuten.

Die entscheidende Zäsur für den Übergang der Judenpolitik zur Vernichtungspolitik fällt also in den Herbst 1939. Was sich ab 1941 vollzieht, ist die Realisierung der bereits 1939 anvisierten, aber noch von bestimmten Bedingungen abhängig gemachten und innerhalb eines längeren Zeitraumes vorgesehenen Vernichtung. Im Zuge der Realisierung dieser Politik sollte sich nach 1941 die Vorstellung, was unter der „Endlösung" zu verstehen sei, radikalisieren: Aus allgemeinen, langfristig angelegten Überlegungen, ein Aussterben der Juden innerhalb des deutschen Herrschaftsbereichs herbeizuführen, wurde ein umfassendes Programm des Massenmordes entwickelt, das nach Auffassung der Planer im Wesentlichen noch vor Ende des Krieges durchgeführt werden sollte. „Endlösung" bedeutet aber seit 1939 in jedem Fall millionenfacher Tod.

Die Radikalisierung der Vernichtungspolitik erfolgte im Kontext des sich ausweitenden Krieges. Für die Nationalsozialisten schloß der von ihnen begonnene Lebensraum- und Rassenkrieg von vornherein die Perspektive der Vernichtung des selbst definierten jüdischen Feindes ein, und zwar insbesondere dann, wenn sich der Krieg durch Intervention der Westmächte zu einem Weltkrieg ausweiten und damit der Traum vom Lebensraum-Imperium in Gefahr geraten würde.

Die Eskalation der Vernichtungspolitik im Krieg stellt aber weder einen unvermeidlichen Automatismus dar, noch kann man sie angemessen als Konsequenz einer einmaligen, bei Kriegsbeginn getroffenen „Entscheidung" zum Mord an den europäischen Juden begreifen. Die Eskalation der Vernichtungspolitik während des Krieges ist vielmehr das Ergebnis einer ganz bewußt verfolgten Politik: Um die Vernichtung tatsächlich in Gang zu setzen, mußten entscheidende Voraussetzungen erfüllt sein. Solang das „Reservat" nicht eingerichtet, solang die Deportationen noch nicht erfolgten, solang der Krieg nicht zum Weltkrieg ausgeweitet worden war, blieb die Vernichtung erst eine Absicht, die unter Umständen auch widerrufen werden konnte.

Der Übergang zur Politik der „ethnischen Säuberung" im Sommer 1941

Im Sommer 1941 erreichte die Politik der Vernichtung ihre zweite Eskalationsstufe. Schauplatz dieser Radikalisierung waren die soeben besetzten sowjetischen Gebiete.

Während in den ersten Wochen des Rußlandfeldzuges (wie bereits bei den Massenexekutionen in Polen) Zehntausende jüdische Männer im wehrpflichtigen Alter erschossen worden waren, wurden ab Ende Juli, verstärkt ab August, September, Oktober 1941 Hunderttausende von Juden, Männer und Frauen in jedem Alter sowie Kinder erschossen. Dieser Übergang von einer terroristischen Vorgehensweise zu einer Politik „ethnischer Säuberung" ist nach meiner Überzeugung weder hinreichend erklärbar durch die im Spätsommer 1941 in der deutschen Führung herrschende Hochstimmung wegen des vermeintlich unmittelbar bevorstehenden Sieges, noch kann man sie aus dem kurz darauf eintretenden Stimmungsumschlag angesichts des sich bereits andeutenden Scheiterns der Blitzkriegsstrategie ableiten.

Als sich im Sommer 1941 herausstellte, daß der Krieg nicht wie vorgesehen in wenigen Wochen siegreich beendet werden konnte, stieß das ursprüngliche, für eine kurze Kriegsdauer entwickelte „sicherheitspolizeiliche" Konzept, das Massenexekutionen unter den wehrfähigen jüdischen Männern vorsah, deutlich an seine Grenzen: Die massenweise Flucht der jüdischen Bevölkerung, die Frage, was mit den überlebenden Angehörigen geschehen solle, wachsender Arbeitskräftebedarf der Wehrmacht und andere Faktoren führten zu einer Revision der bisherigen „Judenpolitik" im Osten. In dieser Situation begann die deutsche Seite im Sommer 1941 mit der „Neuordnung" des eroberten Lebensraumes – wie ursprünglich geplant, allerdings ohne den militärischen Sieg abzuwarten. Während des noch anhaltenden Krieges mußte sich die geplante „Neugestaltung" jedoch auf rein „negative" Maßnahmen beschränken: Die massenhafte Ermordung der jüdischen Zivilbevölkerung, die „Entjudung" ganzer Landstriche war aus der Sicht der NS-Führung ein erster Vorgriff auf die vor Kriegsbeginn entwickelten Pläne, nach denen Millionen Menschen auf sowjetischem Territorium der Neuordnung des „Lebensraumes" zum Opfer fallen sollten. Diese Konzentration auf die Juden entsprach dem nationalsozialistischen Feindbild vom bolschewistisch-jüdischen Komplex und dem Denkschema einer rassistischen Hierarchie, in der die Juden auf unterster Stufe rangierten. Untergeordnete Behörden fanden immer neue „Gründe", den in Gang gekommenen Massenmord weiter zu beschleunigen: der Mangel an Lebensmitteln, die angeblich von den Juden ausgehende Seuchengefahr, „freizumachender" Wohnraum und ähnliches.

Wesentlich für die Ingangsetzung des seit Anfang 1941 geplanten Völkermords auf sowjetischem Territorium im Spätsommer 1941 war meines Erachtens die Initiative Himmlers, der durch sein brutales Vorgehen gegen die jüdische Zivilbevölkerung seine Kompetenzen als Reichskommissar für die Festigung deutschen Volkstums auf die Sowjetunion übertragen wollte – und dem dies schließlich auch gelang. Der

„Festigungs"-Auftrag Hitlers an Himmler vom Oktober 1939 hatte ja nicht nur die „Gestaltung neuer deutscher Siedlungsgebiete durch Umsiedlung" umfaßt, sondern hatte ausdrücklich auch die „Ausschaltung" des schädigenden Einflusses von „volksfremden Bevölkerungsteilen" als notwendige Voraussetzung der geplanten „völkischen Flurbereinigung" genannt. Diesen Teil seines Auftrags nahm Himmler nun auch in den Ostgebieten wahr, indem er den schon im Gange befindlichen Mord an jüdischen Männern auf die allgemeine jüdische Bevölkerung ausdehnen ließ: Aus Himmlers Sicht bildete der Massenmord den Einstieg in die „Neugestaltung" des „Ostraumes", die er ganz bewußt während des Krieges beginnen wollte, so lange sich die Machtverteilung innerhalb des Besatzungsapparates noch in Fluß befand.

Eskalation im Herbst 1941 und Beginn der Deportation der deutschen Juden

Die dritte Eskalationsstufe der Politik der Vernichtung fällt in den Herbst 1941. Sie setzte Mitte September 1941 ein, als Hitler den Entschluß faßte, die Juden des gesamten Reichsgebiets einschließlich des Protektorats möglichst noch im laufenden Jahr in die eingegliederten polnischen Gebiete und im nächsten Frühjahr weiter nach Osten zu deportieren.

Als erster Schritt war ursprünglich vorgesehen, 60.000 Juden in das Lodzer Ghetto zu verschleppen. Dieser Plan wurde jedoch bis Ende September modifiziert und erweitert: Nun sollten 25.000 Juden und Zigeuner nach Lodz gebracht und je 25.000 Juden aus dem Reichsgebiet in die Ghettos von Riga und Minsk transportiert werden. Aus einer Bemerkung von Heydrich gegenüber Goebbels im November ergibt sich, daß zu diesem Zeitpunkt bereits eine dritte Deportationswelle für den Beginn des nächsten Jahres geplant war.

Parallel zu diesen in schnellen Schritten folgenden Entschlüssen wurden wichtige administrative Maßnahmen zur Vorbereitung der Deportation getroffen: Die Kennzeichnung der deutschen Juden im September 1941 mit dem gelben Stern; das Auswanderungsverbot vom 23. Oktober 1941 für alle Juden im deutschen Machtbereich; schließlich die 11. Verordnung zum Reichsbürgergesetz im November 1941, durch die Juden bei Überschreiten der Grenzen ihre deutsche Staatsangehörigkeit und ihr Vermögen verloren.

Im September 1941 setzte Hitler den Anfang 1941 gefaßten Plan in Gang, die europäischen Juden nach dem Sieg über die Sowjetunion in die neu eroberten Gebiete zu deportieren – nun allerdings ohne den Sieg über die Rote Armee abzuwarten. Noch einen Monat zuvor, im August, hatte er erklärt, daß die vorgesehene Deportation erst nach dem Ende des Ostfeldzuges erfolgen könnte.

Die ersten beiden Deportationswellen nach Lodz sowie nach Minsk und Riga fanden zwischen Mitte Oktober und Anfang Februar statt (die Deportationen nach Minsk mußten allerdings nach wenigen Transporten abgebrochen werden), und im März 1942 begann schließlich, wie von Heydrich im November angekündigt, die dritte Deportationswelle in den Distrikt Lublin, das ursprüngliche „Judenreservat".

Wie ist diese Entscheidung zu erklären, die Deportationen nicht, wie ursprünglich geplant, nach dem militärischen Sieg, sondern während des laufenden Konfliktes in Gang zu setzen?

Die offiziell gegebene Begründung, es handele sich um eine Vergeltungsmaßnahme für Stalins Verschleppung der Wolgadeutschen, erscheint ebenso vorgeschoben wie das angebliche Motiv, man benötige die „Judenwohnungen" um Bombengeschädigte unterzubringen. Schon die relativ geringe Zahl der Bombenschäden in diesem Zeitraum widerlegt dieses „Argument". Zwar griff mancher Gauleiter die Forderung nach „Freimachung" der „Judenwohnungen" auf und tat von sich aus alles, um die Deportationen zu beschleunigen, doch ist der Zusammenhang von Wohnungsfrage und Deportation nicht auf dieser pragmatischen, sondern auf einer ideologisch-propagandistischen Ebene zu suchen: Durch eine „Freimachung" der „Judenwohnungen" sollten die Juden als „Drahtzieher" des Bombenkrieges bestraft und die Großstadtbewohner in den unmittelbaren Genuß dieser Bestrafung gebracht werden. Auch in der Wohnungspolitik ging es den Nationalsozialisten eben nicht ausschließlich um ein praktisches Ziel – die Bereitstellung von Wohnraum – sondern sie war, wie fast alle Politikbereiche, eng mit der Rassen- und Judenpolitik verbunden.

Tatsächlich dürfte es sich jedoch bei den im Oktober 1941 einsetzenden Deportationen in erster Linie um eine versuchte Repressalie gegenüber den USA gehandelt haben: Man wollte mit der mehr oder weniger offenen Drohung, die deportierten Juden zu liquidieren – ganz im Sinne der Prophezeiung Hitlers vom 30. Januar 1939 –, die Vereinigten Staaten von einem Kriegseintritt abhalten. Das Propagandaleitmotiv dieser Monate, die Regierung der Vereinigten Staaten als Werkzeug des „internationalen Judentums" zu brandmarken, verdeutlicht diese Absicht ebenso wie die Tatsache, daß die Deportationen aus den Großstädten in aller Öffentlichkeit stattfanden und somit auch von der internationalen Presse sorgfältig registriert wurden – eine Publizität, die sich der Geiselnehmer nur wünschen konnte. Daß diese erneute und radikalste Wiederauflage des alten völkischen Geiselkonzepts nicht aufgehen konnte, lag natürlich an der absurden Realitätsverzerrung, der die NS-Rassenpolitiker zum Opfer gefallen waren: Weder gab es ein „internationales Judentum" als mächtigen Faktor auf der internationalen Bühne, noch stand die Regierung der Vereinigten Staaten unter „jüdischer Kontrolle".

Die zwischen September und November 1941 gefällte Entscheidung der NS-Regierung, die Juden im deutschen Herrschaftsbereich nach und nach in den Osten zu deportieren, beinhaltete gleichzeitig den Entschluß, in den provisorischen Aufnahmeräumen einen Massenmord an den einheimischen Juden anzurichten. Die Strategie „judenfreier Räume", zu der man in der Sowjetunion Ende des Sommers übergegangen war, wurde nun auf die besetzten polnischen Gebiete übertragen. Mit der Aussicht, in die ohnehin völlig überfüllten Ghettos weitere Zehntausende von Juden einzuweisen, wurde den vor Ort Verantwortlichen noch radikalere Lösungen abverlangt.

In Lodz hatte Reichsstatthalter Greiser offensichtlich als „Gegenleistung" für die Aufnahme der Juden aus dem Reich selbst den Vorschlag gemacht, die vorhandene jüdische Bevölkerung im Warthegau um 100.000 Menschen zu „verringern", das heißt diese Menschen zu ermorden. Zur Durchführung dieses Massenmordes wurde noch vor Ende des Jahres 1941 eine Gaswagenstation bei Chelmno eingerichtet.

In Minsk wurden Anfang November, einen Tag bevor der erste Transport aus Hamburg abging, etwa 12.000 Einwohner des Ghettos durch die deutsche Sicherheitspolizei ermordet. In Riga, wo ursprünglich der Bau von Gaskammern vorgesehen war, wurden Ende November, Anfang Dezember über 25.000 lettische Juden auf Anordnung des Höheren SS- und Polizeiführers Jeckeln erschossen, der angab, den Befehl hierzu direkt von Himmler erhalten zu haben. Im Zuge dieser Massaker ermordete das Einsatzkommando 2 die Menschen, die sich in den ersten sechs für Riga bestimmten Transporten befanden, sogleich nach Eintreffen der Züge in Riga bzw. in Kowno. Weitere Morde an den reichsdeutschen Juden wurden jedoch durch eine direkte Intervention Himmlers vorläufig unterbunden.

Auch im Generalgouvernement, insbesondere im Distrikt Lublin, begannen die Vorbereitungen für einen Massenmord an den dort lebenden Juden im Oktober 1941, nachdem die Regierung des Generalgouvernements darüber informiert worden war, daß mit einem Abschub der Juden aus diesem Gebiet nach Osten auf absehbare Zeit nicht mehr gerechnet werden könne. Noch im Oktober begannen die Vorbereitungen für den Bau des Vernichtungslagers Belzec und gleichzeitig wurde mit dem sogenannten Schießbefehl das Verlassen der Ghettos mit der Todesstrafe sanktioniert. Diese Maßnahmen waren jedoch noch keine Vorbereitungen für die Ermordung der gesamten jüdischen Zivilbevölkerung des Generalgouvernements, sondern sie bezogen sich in erster Linie auf den Bezirk Lublin, wo man sich offensichtlich auf das Eintreffen der dritten Deportationswelle aus dem Reich im kommenden Frühjahr vorbereitete.

Nicht nur in Belzec (Lublin) und Chelmno (Warthegau) wurden im Herbst/Winter 1941/42 Anlagen zur massenweisen Tötung von Menschen mit Gas installiert. Vorbereitungen zum Bau solcher Anlagen sind auch für Riga nachweisbar; Hinweise auf Mogilew (bei Minsk) und Lemberg (Galizien) als weitere mögliche Standorte sind vorhanden. Mit dem Einsatz von Gas als Tötungsmittel wurde also zunächst in den vorgesehenen Deportationsräumen begonnen.

Im Oktober und November häuften sich die Aussagen führender Nationalsozialisten über das den Juden zugedachte Schicksal. So machte Hitler, nachdem er in seiner Tischrunde am 25. Oktober noch einmal an seine „Prophezeiung" vom 30. Januar 1939 erinnert hatte, folgende Bemerkung: „Diese Verbrecherrasse hat die zwei Millionen Toten des Weltkrieges auf dem Gewissen, jetzt wieder Hunderttausende. Sage mir keiner: Wir können sie doch nicht in den Morast schicken! Wer kümmert sich denn um unsere Menschen. Es ist gut, wenn uns der Schrecken vorangeht, daß wir das Judentum ausrotten." Aus diesen Äußerungen läßt sich entnehmen, daß die NS-Führung eine weitere Radikalisierung der auf regionaler Ebene bereits begonnenen Vernichtungspolitik anstrebte.

In einem Leitartikel der Zeitschrift „Das Reich" vom 16. November 1941 kam Goebbels unter der Überschrift „Die Juden sind schuld" auf Hitlers Prophezeiung vom 30. Januar 1939 zurück, um dann fortzufahren: „Wir erleben eben den Vollzug dieser Prophezeiung, und es erfüllt sich damit am Judentum ein Schicksal, das zwar hart, aber mehr als verdient ist. Mitleid oder Bedauern ist da gänzlich unangebracht." Mit seiner Formulierung, das „Weltjudentum" erleide „nun einen allmählichen Vernichtungsprozeß", stellte der Propagandaminister und Berliner Gauleiter klar, welches Schicksal die seit einigen Wochen aus deutschen Großstädten deportierten Juden letztlich erwartete.

Vorbereitung und Vertagung der Wannsee-Konferenz

Als Heydrich am 29. November 1941 eine Reihe von Staatssekretären, hohen Beamten und SS-Dienstgraden zu einer Besprechung am 9. Dezember einlud, um nähere Einzelheiten der vorgesehenen „Gesamtlösung der Judenfrage in Europa" zu behandeln, war die ursprüngliche Absicht der NS-Führung, eine „Endlösung" der „Judenfrage" (im Sinne eines zunächst nicht näher bestimmten physischen Endes) nach Kriegsende herbeizuführen, bereits durchbrochen worden: Das NS-Regime hatte mehrere Hunderttausend Menschen ermordet, ohne daß in der offiziellen Sprachregelung bereits das Stadium der „Endlösung" erreicht worden wäre.

Hauptzweck der Konferenz war aus Heydrichs Sicht, 1. gegenüber einer Reihe wichtiger Reichsbehörden die Federführung des RSHA für das Deportationsprogramm festzuschreiben und damit 2. Spitzenvertreter der Ministerialbürokratie zu Helfern, Mitwissern und Mitverantwortlichen des von ihm verfolgten Planes zu machen, alle Juden im – gegenwärtigen und künftigen – deutschen Herrschaftsbereich in den Osten Europas zu verschleppen, wo sie, außerordentlich harten Existenzbedingungen ausgesetzt, zu Tode erschöpft oder ermordet werden sollten. Diesen Deportationsplan mit seinen letztlich tödlichen Konsequenzen hatte Heydrich seit Anfang 1941 verfolgt; im Juli 1941 hatte er sich von Göring die Ermächtigung eingeholt, diesen Plan auszuführen; mit der ersten Deportation zentraleuropäischer Juden im Oktober war ein erster Teilabschnitt dieses europaweiten Planes realisiert worden.

Heydrich hatte also mit seiner ersten Einladung zu der Konferenz gewartet, bis die zweite Deportationswelle nach Riga, Minsk und Kowno bereits angelaufen war. Ganz offensichtlich wollte er also die Vertreter der Obersten Reichsbehörden vor vollendete Tatsachen stellen.

Am 8. Dezember wurde die ursprünglich für den nächsten Tag vorgesehene Sitzung verschoben; als neuer Termin wurde schließlich der 20. Januar 1942 bestimmt. Besprechungsort war jetzt nicht mehr die Dienststelle der Internationalen Kriminalpolizeilichen Kommission am Kleinen Wannsee Nr. 16, sondern das Gästehaus der SS, Am Großen Wannsee 56–58. Als Ursache für die zeitliche Verschiebung werden im allgemeinen zwei Entwicklungen angenommen: Zum einen die nach dem japanischen Überraschungsangriff auf die amerikanische Flotte in Pearl Harbour unmittelbar bevorstehende deutsche Kriegserklärung an die USA (die dann am 11. Dezember erfolgen sollte); zum andern aber auch die Anfang Dezember einsetzende Großoffensive der Roten Armee, die alle Hoffnungen auf einen schnellen militärischen Erfolg im Osten und damit eine baldige Realisierung aller Deportationspläne endgültig zunichte machte. Mit anderen Worten: Die Ausdehnung der Serie von europäischen Blitzkriegen zum Weltkrieg mußte auch grundlegende Auswirkungen auf die deutsche „Judenpolitik" mit sich bringen. Die Frage, ob diese Auswirkungen so gravierend waren, daß Heydrich sich gezwungen sah, das ursprünglich vorgesehene Programm für die Konferenz zu ändern und ob dies der entscheidende Grund war, die Konferenz um immerhin sechs Wochen zu verschieben, läßt sich aufgrund der vorhandenen Dokumentensituation nicht schlüssig beantworten.

Christian Gerlach hat uns darauf aufmerksam gemacht, daß einen Tag nach der Kriegserklärung an die USA, am 12. Dezember 1941, Hitler eine Ansprache vor den Gau- und Reichsleitern der Partei hielt, in der er erneut auf seine „Prophezeiung" vom 30. Januar 1939 zurückkam und die „Vernichtung" der Juden unter deutscher Herrschaft ankündigte, wie sich aus den Goebbels-Tagebüchern entnehmen läßt: „Bezüglich der Judenfrage ist der Führer entschlossen, reinen Tisch zu machen. Er hat den Juden prophezeit, daß, wenn sie noch einmal einen Weltkrieg herbeiführen würden, sie dabei ihre Vernichtung erleben würden. Das ist keine Phrase gewesen. Der Weltkrieg ist da, die Vernichtung des Judentums muß die notwendige Folge sein. Diese Frage ist ohne jede Sentimentalität zu betrachten. Wir sind nicht dazu da, Mitleid mit den Juden, sondern nur Mitleid mit unserem deutschen Volk zu haben. Wenn das deutsche Volk jetzt wieder im Ostfeldzug an die 160.000 Tote geopfert hat, so werden die Urheber dieses blutigen Konflikts dafür mit ihrem Leben bezahlen müssen."

Die Tatsache, daß der Weltkrieg nun „da" war, verlieh der seit Anfang 1939 immer wieder seitens der deutschen Führung angedrohten „Vernichtung" der Juden im Falle eines Weltkrieges einen besonderen Akzent. Falsch wäre es jedoch, mit Christian Gerlach in der Rede Hitlers vom 12. Dezember die Bekanntgabe einer „Grundsatzentscheidung" Hitlers zur Ermordung der europäischen Juden zu sehen und hieraus die Schlußfolgerung abzuleiten, daß ein solcher dramatischer Entschluß an einem bestimmten Tag entscheidend für diesen Kurswechsel gewesen sei. Bei Hitlers Ansprache handelte es sich vielmehr um einen weiteren Appell zur Beschleunigung und Radikalisierung der mit den Massenexekutionen in der Sowjetunion, in Polen und in Serbien und den Deportationen aus Zentraleuropa bereits in Gang gesetzten Vernichtungspolitik. In ihrer radikalen Rhetorik ähnelte die Ansprache des „Führers" sehr den Bemerkungen Hitlers vom 25. Oktober und Goebbels' Artikel vom 16. November, aber auch Äußerungen Rosenbergs auf einer Pressekonferenz vom 18. November, wo er von der „Ausmerzung der Juden Europas" sprach.

Aus dem Zeitraum Mitte Dezember liegen weitere Hinweise darauf vor, daß Hitler die Judenverfolgung nach der Kriegserklärung an die USA weiter radikalisieren wollte, aber aus diesen Dokumenten läßt sich eine „Grundsatzentscheidung" Hitlers zur Ermordung der europäischen Juden nicht wirklich zwingend ableiten, wie Christian Gerlach behauptet. So läßt sich Himmlers kurze Notiz in seinem im Sonderarchiv Moskau aufgefundenen Terminkalender über ein Gespräch mit Hitler vom 18. Dezember nur mit Hilfe einer weit ausholenden, jedoch keineswegs sehr beweiskräftigen Interpretation als Beleg für eine wenige Tage zuvor gefällte „Grundsatzentscheidung" Hitlers anführen. Die vier Worte: „Judenfrage | als Partisanen auszurotten", lassen sich demgegenüber viel sinnvoller als erneute Bestätigung Hitlers lesen, die Massenmorde an den sowjetischen Juden unter dem auch bisher vorgegebenen Vorwand fortzusetzen und zu intensivieren. Da sich in den diversen Kalendarien Himmlers offensichtlich nur sehr wenige Zeugnisse zum Thema „Judenmord" finden lassen, ist generelle Skepsis vor einer Überbewertung solcher disparaten Aussagen geboten.

Ein wesentlich gravierenderer Beleg für eine weitere, von der Führungsspitze des „Dritten Reiches" ausgehende Radikalisierung der Judenverfolgung im Dezember ist jedoch die berüchtigte Ansprache, die Hans Frank, Generalgouverneur im besetzten Polen, am 16. Dezember 1941 in Krakau hielt: Aus Franks Äußerung ergibt sich eindeutig, daß die ursprüngliche Absicht, die Juden seines Herrschaftsgebietes in die besetzten sowjetischen Gebiete zu deportieren, nicht mehr nur, wie Frank bereits im Oktober von Rosenberg erfahren hatte, zurückgestellt, sondern mittlerweile ganz aufgegeben worden war: „Mit den Juden – das will ich Ihnen auch ganz offen sagen – muß so oder so Schluß gemacht werden." Frank erinnerte sodann an Hitlers „Prophezeiung" vom 30. Januar 1939; Mitleid gegenüber den Juden, so führte er aus, sei vollkommen Fehl am Platz: „Ich werde daher den Juden gegenüber grundsätzlich nur von der Erwartung ausgehen, daß sie verschwinden. Sie müssen weg. Ich habe Verhandlungen zu dem Zwecke angeknüpft, sie nach dem Osten abzuschieben. Im Januar findet über die Frage eine große Besprechung in Berlin statt, zu der ich Herrn Staatssekretär Dr. Bühler entsenden werde. Diese Besprechung soll im Reichssicherheitshauptamt bei SS-Obergruppenführer Heydrich abgehalten werden. Jedenfalls wird eine große jüdische Wanderung einsetzen. Aber was soll mit den Juden geschehen? Glauben Sie, man wird sie im Ostland in Siedlungsdörfern unterbringen? Man hat uns in Berlin gesagt: weshalb macht man diese Scherereien; wir können im Ostland oder im Reichskommissariat auch nichts mit ihnen anfangen, liquidiert sie selber! Meine Herren, ich muß sie bitten, sich gegen alle Mitleidserwägungen zu wappnen. Wir müssen die Juden vernichten, wo immer wir sie treffen und wo es irgend möglich ist, um das Gesamtgefüge des Reiches hier aufrecht zu erhalten."

Methode und Zeitraum für diesen Massenmord waren Mitte Dezember 1941 aber noch durchaus offen, wie aus Franks weiteren Worten hervorgeht: „Diese 3,5 Millionen Juden können wir nicht erschießen, wir können sie nicht vergiften, werden aber doch Eingriffe vornehmen können, die irgendwie zu einem Vernichtungserfolg führen, und zwar im Zusammenhang mit dem vom Reich her zu besprechenden großen Maßnahmen. Das Generalgouvernement muß genauso judenfrei werden, wie es das Reich ist. Wo und wie das geschieht, ist eine Sache der Instanzen, die wir hier einsetzen und schaffen müssen und deren Wirksamkeit ich Ihnen rechtzeitig bekanntgeben werde."

Am 20. Januar 1942 sollte Franks Staatssekretär Bühler während der Wannsee-Besprechung von Heydrich Näheres über das „Wo" und „Wie" der Endlösung erfahren.

Das Protokoll der Wannsee-Konferenz

Den genauen Wortlaut der auf der Konferenz abgegebenen Erklärungen kennen wir nicht. Eichmann gab in Israel 1960 an, er habe das Protokoll auf Drängen Heydrichs erheblich redigieren müssen, die Konferenzteilnehmer hätten sich einer weit drastischeren Sprache bedient, hätten von Töten, Eliminieren und Vernichten gesprochen. Doch möglicherweise wollte Eichmann damit von sich selbst ablenken und Dritte belasten. Das Protokoll sollte daher m.E. nicht als Basis für Spekulationen über das auf der Konferenz „tatsächlich" Gesagte gelesen werden, sondern als von Heydrich autorisierte Leitlinie des mit der Endlösung der Judenfrage beauftragten RSHA. Nicht der im Wortlaut nicht mehr rekonstruierbare Konferenzverlauf, sondern die Quintessenz, die Heydrich im Anschluß hieran erstellte und als verbindliches Ergebnis der Besprechung gegenüber anderen Obersten Reichsbehörden vertrat, sollte der Ausgangspunkt für eine Interpretation der „Judenpolitik" Anfang des Jahres 1942 sein.

Heydrich ließ die Ergebnisse der Konferenz in dem überlieferten Protokoll wie folgt zusammenfassen: Zunächst einmal habe er auf seine „Bestellung" zum „Beauftragten für die Vorbereitung der Endlösung der europäischen Judenfrage" durch Göring vom 31. Juli hingewiesen. Dieses Schriftstück hatte er bereits als Kopie seinem ersten Einladungsschreiben vom 29. November beigefügt. Bevor er nun daran gehe, den von Göring geforderten „Entwurf über die organisatorischen, sachlichen und materiellen Belange im Hinblick auf die Endlösung der europäischen Judenfrage" fertigzustellen, so habe er auf der Konferenz erklärt, habe er das weitere Vorgehen mit den „beteiligten Zentralinstanzen" abstimmen wollen.

Heydrich habe sodann, so fährt das Protokoll fort, einen Überblick über die bisherige Judenverfolgung gegeben. Hauptziel der „Judenpolitik" sei zunächst die forcierte Auswanderung gewesen, die inzwischen von Himmler „im Hinblick auf die Gefahren einer Auswanderung im Krieg und im Hinblick auf die Möglichkeiten des Ostens" gestoppt worden sei. Weiter heißt es im Protokoll über Heydrichs Äußerungen: „Anstelle der Auswanderung ist nunmehr als weitere Lösungsmöglichkeit nach entsprechender vorheriger Genehmigung durch den Führer die Evakuierung der Juden nach dem Osten getreten." Diese „Aktionen" seien lediglich „Ausweichmöglichkeiten", bei denen jedoch „jene praktischen Erfahrungen gesammelt" werden würden, die „im Hinblick auf die kommende Endlösung der Judenfrage von wichtiger Bedeutung" seien. Für die kommende „Endlösung" kämen insgesamt 11 Millionen Menschen in Betracht, die Heydrich nach Ländern aufschlüsselte. Die vorgesehene „Endlösung" umschrieb Heydrich im Protokoll mit den folgende Ausführungen:

„Unter entsprechender Leitung sollen nun im Zuge der Endlösung die Juden in geeigneter Weise zum Arbeitseinsatz kommen. In großen Arbeitskolonnen, unter Trennung der Geschlechter, werden die arbeitsfähigen Juden straßenbauend in diese Gebiete geführt, wobei zweifellos ein Großteil durch natürliche Verminderung ausfallen wird." Der „allfällig endlich verbleibende Restbestand" werde, da „es sich bei diesen zweifellos um den widerstandsfähigsten Teil" handele, „entsprechend behandelt werden müssen", um zu verhindern, daß hieraus wiederum eine „Keimzelle eines neuen jüdischen Aufbaues" entstünde. Zunächst sollten die Juden in „Durchgangsghettos" gebracht werden, von wo aus sie zu einem späteren Zeitpunkt weiter nach Osten transportiert werden würden.

Heydrich entwickelt also die Perspektive eines gigantischen Deportationsprogramms, hinter dem die Zielsetzung stand, die verschleppten Menschen durch Zwangsarbeit zugrunde zu richten und die Überlebenden zu ermorden.

Die Idee einer umfassenden Deportation der europäischen Juden in den Osten war, wie wir gesehen haben, durch das RSHA während des gesamten Jahres 1941 verfolgt worden. Nun, Anfang 1942, wurde aber immer deutlicher, daß sich ein solches Programm nicht mehr verwirklichen ließ. Die Deportationen erfolgten jedoch weiter, ohne daß zunächst eine klare Vorstellung für eine Alternative entwickelt worden war. Auffälligerweise erläuterte Heydrich in seinem Vortrag gerade nicht, was mit den „nicht arbeitsfähigen" Juden geschehen sollte, also insbesondere mit Kindern und den sie betreuenden Müttern (er erwähnte lediglich, daß Juden über 65 Jahre in ein „Altersghetto" – Theresienstadt – verbracht werden sollten). Daß Heydrich andererseits im Januar 1942 bereits einen fertigen Plan zum Mord an diesen „nicht arbeitsfähigen" Juden in Vernichtungslagern besaß, erscheint außerordentlich unwahrscheinlich, denn vor Frühjahr 1942 sind keine Anstrengungen erkennbar, die auf einen allgemeinen Ausbau der Vernichtungslager für ein solches europaweites Mordprogramm hindeuten.

Andererseits war die Vorstellung von „straßenbauenden" Arbeitskolonnen, die unter mörderischen Arbeitsbedingungen „in den Osten" geführt wurden, Anfang 1942 keineswegs ein Phantasieprodukt, wie im Folgenden zu zeigen sein wird.

Die Eskalation der Vernichtungspolitik unmittelbar nach der Wannsee-Konferenz

Um den historischen Ort der Wannsee-Konferenz besser verstehen zu können, soll nun auf die unmittelbaren Folgen der Konferenz eingegangen werden. In den Wochen nach der Konferenz veränderte sich die Politik der Vernichtung auf signifikante Weise:

Die Deportationen wurden nun, wie bereits im Herbst 1941 angekündigt, auf den gesamten Raum unter deutscher Kontrolle ausgedehnt;

hierauf wird im nächsten Abschnitt näher einzugehen sein. Zum zweiten wurden die Deportationen und Morde in den Kontext eines umfassenden Zwangsarbeitsprogramms gestellt.

Seit Herbst 1941 war die SS dazu übergegangen, das perfide System einer „Vernichtung durch Arbeit" zu entwickeln. Dieses System bedeutete nicht nur, daß Menschen innerhalb kürzester Zeit unter unmenschlichen Arbeitsbedingungen zu Tode erschöpft wurden, sondern mit der Zwangsarbeit wurde insbesondere auch eine Schwelle errichtet, an der die nicht mehr arbeitsfähigen oder nicht einsetzbaren Menschen scheitern mußten.

Die Politik einer „Vernichtung durch Arbeit" hatten die Einsatzgruppen seit dem Sommer 1941 in den besetzten Ostgebieten entwickelt. Die Einsatzgruppe C hatte dieses Konzept im September explizit formuliert, als sie die „Lösung der Judenfrage durch umfassenden Arbeitseinsatz der Juden" vorschlug, was „eine allmähliche Liquidierung des Judentums zur Folge haben" werde und den „wirtschaftlichen Gegebenheiten des Landes" entspräche. In den besetzten Ostgebieten waren die Einsatzgruppen ansatzweise seit Juli, verstärkt seit August und September 1941 dazu übergegangen, im Zuge der nun systematischen Vernichtungspolitik die für den „Arbeitseinsatz" verwendbaren Erwachsenen und ihre Angehörigen in Ghettos einzusperren und als Arbeitskräftereservoir zu verwenden. Bei den weiteren Selektionen in den Ghettos waren „Arbeitsfähigkeit" und Arbeitskräftebedarf entscheidende Kriterien. Die Tatsache, daß die Auswahl der „Arbeitsfähigen" häufig völlig willkürlich und chaotisch verlief, verdeutlicht das im Hintergrund dieses „Arbeitseinsatzes" stehende wahre Ziel: Die mörderische Dezimierung der Juden.

Im Januar 1942 bereitete Himmler den Inspekteur der Konzentrationslager, Glücks, darauf vor, daß – nachdem „russische Kriegsgefangene in der nächsten Zeit nicht zu erwarten" seien – er „von Juden und Jüdinnen, die aus Deutschland ausgewandert werden, eine große Anzahl in die Lager schicken" werde: „Richten Sie sich darauf ein, in den nächsten 4 Wochen 100.000 männliche Juden und bis zu 50.000 Jüdinnen in die Konzentrationslager aufzunehmen. Große wirtschaftliche Aufgaben werden in den nächsten Wochen an die Konzentrationslager herantreten." Im Zeitraum Februar/März 1942 wurden durch die Eingliederung des Hauptamts Verwaltung und Bauten sowie der Inspektion der Konzentrationslager in das neu gebildete Wirtschaftsverwaltungshauptamt die organisatorischen Grundlagen zur optimalen Ausbeutung der Arbeitskraft der Häftlinge gelegt.

In einem Befehl vom 30. April 1942 machte der Chef des Wirtschaftsverwaltungshauptamtes der SS, Oswald Pohl, die Lagerkommandanten – ganz im Sinne der von Himmler angeordneten Leistungssteigerung der Häftlinge – „verantwortlich für den Einsatz der Arbeitskräfte. Dieser Einsatz muß im wahren Sinn des Wortes erschöpfend sein, um ein Höchstmaß an Leistung zu erreichen."

Seit Herbst 1941 wurden Zehntausende von jüdischen Arbeitskräften beim Bau der „Durchgangsstraße IV", einer für die Kriegsführung im Osten strategisch wichtigen Nachschubstraße, eingesetzt, ein Projekt, das unter der Kontrolle der regional zuständigen SS- und Polizeiführer stand und seit Anfang 1942 aufgrund eines Führerbefehls höchste Priorität besaß. Die hohe Todesrate in den Lagern an der Durchgangsstraße IV, die von Lemberg tief in die Ukraine führen sollte, macht deutlich, daß die von Heydrich auf der Wannsee-Konferenz entwickelte Vorstellung von Arbeitskolonnen, die „straßenbauend" in den Osten geführt werden und dabei einer „natürlichen Verminderung" anheimfallen sollten, keineswegs ein Phantasieprodukt war. Das Zwangsarbeitsprojekt zum Ausbau der Durchgangsstraße IV ist ein wichtiger Zwischenschritt bei der Übertragung des in den besetzten sowjetischen Gebieten entwickelten Systems der Vernichtung durch Arbeit auf das Generalgouvernement und stellt so etwas wie ein Pilotprojekt für die Übernahme der gesamten Zwangsarbeit im Generalgouvernement im Frühjahr/Sommer 1942 durch die SS dar. Mit dieser Entscheidung lagen, ganz im Sinne der Konzeption der Vernichtung durch Arbeit, die Verantwortung für die systematische Ermordung der Juden des Generalgouvernements und für den Zwangsarbeitseinsatz in einer Hand.

Der Übergang zum Konzept der „Vernichtung durch Arbeit" folgte keinem im einzelnen festgelegtem Plan, sondern war eine Modifikation der Vernichtungspolitik unter den Verhältnissen des sich in die Länge ziehenden Krieges: Die Beseitigung einer möglichst großen Zahl von Juden sollte in Übereinstimmung gebracht werden mit dem steigenden Arbeitskräftebedarf. So entstand ein System aus einem häufig über die Grenzen der physischen Leistungsfähigkeit hinausgehenden „Arbeitseinsatz", minimaler Ernährung und Versorgung sowie ständigen Selektionen der nicht mehr „arbeitsfähigen" oder nicht mehr „benötigten" Juden. Die Perfidität des Systems der „Vernichtung durch Arbeit" zeigte sich insbesondere auch dort, wo es nur wenige oder überhaupt keine Zwangsarbeitsprojekte für Juden gab, da es den Vorwand lieferte, die „nicht einsetzbaren" Juden als „überflüssig" abzustempeln.

Es darf nicht übersehen werden, daß bei der Ingangsetzung der Endlösung neben den Massenexekutionen im Osten, den fortschreitenden
Planungen für Deportationen aus Zentral- und Westeuropa sowie dem
begonnenen Bau von Vernichtungslagern in Polen der mörderische jüdische „Arbeitseinsatz" ein viertes komplementäres Element bildete. Der
„Arbeitseinsatz" war kein Potemkinsches Dorf, hinter dem die „Endlösung" vollzogen wurde, sondern er bildete eine Säule der Vernichtungspolitik.

Den im Frühjahr 1942 wieder in größerem Umfang einsetzenden
Deportationen gingen im Januar und Februar 1942 eine Reihe von
öffentlichen Erklärungen Hitlers voraus, in denen er ganz unmißver-
ständlich auf seine „Prophezeiung" vom Januar 1939 zurückkam, im
Falle eines erneuten „Weltkrieges" würden die Juden Europas vernichtet werden. Der soeben erfolgte Kriegseintritt der USA, also die Ausweitung des Krieges zum Weltkrieg, und die Tatsache, daß Hitler seine
Prophezeiung über den Untergang der Juden im Kriegsfall vom Januar
1939 beständig falsch auf den 1. September 1939 umdatierte, unterstri-
chen seine Drohung in besonderer Weise.

So hieß es 1942 im Neujahrsaufruf des „Führers": „Der Jude aber
wird nicht die europäischen Völker ausrotten, sondern er wird das
Opfer seines eigenen Anschlags sein." Bei seiner Ansprache im Januar 1942 im Berliner Sportpalast aus Anlaß der „Machtergreifung" vom
30. Januar 1933 rief Hitler aus: „Wir sind uns dabei im klaren darüber, daß der Krieg nur damit enden kann, daß entweder die arischen
Völker ausgerottet werden, oder daß das Judentum aus Europa
verschwindet." In einer am 24. Februar 1942 aus Anlaß des 22. Jah-
restages der Parteigründung im Münchner Hofbräuhaus verlesenen
Erklärung ließ Hitler wiederum verlautbaren, „meine Prophezeiung wird ihre Erfüllung finden, daß durch diesen Krieg nicht die
arische Menschheit vernichtet, sondern der Jude ausgerottet werden
wird".

Konturen eines europaweiten Deportationsprogramms

In den auf die Wannsee-Konferenz folgenden Wochen und Monaten wurden die Konturen eines europäischen Deportationsprogramms
erkennbar.

Zunächst informierte Eichmann die Stapostellen im Gebiet des
Großdeutschen Reiches am 31. Januar 1942, es sei die Deportation weiterer „Kontingente von Juden" in den Osten zu erwarten und legte

im einzelnen fest, welche Personengruppen zunächst von diesen Verschleppungen auszunehmen seien.

In einer Besprechung Eichmanns mit Vertretern der Gestapoleitstellen am 6. März 1942 wurde deutlich, daß mittlerweile innerhalb des RSHA eine dritte Deportationswelle vorbereitet worden war. Auf dieser Besprechung kündigte Eichmann an, daß zunächst 55.000 Juden aus dem Reichsgebiet einschließlich der „Ostmark" und dem Protektorat deportiert werden würden. Dabei werde „Prag mit 20.000 und Wien mit 18.000 zu evakuierenden Juden am stärksten beteiligt".

Diese dritte Deportationswelle begann am 20. März 1942 und dauerte bis Ende Juni. Sie ist in ihren Einzelheiten wenig erforscht, aber aufgrund der überlieferten Deportationslisten, aus Aktensplittern der Distriktverwaltung Lublin, aus Lokalforschungen sowie der Memoirenliteratur weitgehend rekonstruierbar.

Im Rahmen dieses erneuten Deportationsschubes fuhren mindestens 43, möglicherweise 45 und mehr Züge mit jeweils 1000 Menschen in Ghettos im Distrikt Lublin, also dem ursprünglichen „Judenreservat", davon mindestens 22, vermutlich aber 24 aus dem Altreichsgebiet, 6 aus Wien, 15 aus Theresienstadt/Prag. Die Größenordnung von 55.000 Menschen, die Eichmann am 6. März als Ziel nannte, dürfte vermutlich erreicht worden sein.

Erneut wurde nun, Anfang März 1942, die Entscheidung getroffen, unter den Juden in den Aufnahmegebieten, also im Distrikt Lublin, einen Massenmord anzurichten. Diese Entscheidung betraf auch den angrenzenden Distrikt Galizien, der in der Vorstellung der NS-Führung so etwas wie eine vorgeschobene Basis für die geplante Neuordnung des Lebensraumes im Osten bildete.

Die von Goebbels in seinen Tagebüchern gemachte Angabe, man wolle 60 Prozent der in den beiden Distrikten lebenden Juden ermorden, ist hier von besonderer Bedeutung. Diese Anfang März gefällte Entscheidung war durch die Vorarbeiten, die der für diese Aktion in beiden Distrikten verantwortliche SS- und Polizeiführer Globocnik mit Zustimmung der SS-Führung seit Oktober 1941 getroffen hatte, vorbereitet worden und weist wesentliche Parallelen zu dem ebenfalls im Herbst 1941 eingeleiteten Massenmord an den Juden des Warthegaues auf. Nur in der Mordmethode, der Verwendung einer stationären Gaskammer, unterschied sich Globocniks Vorgehensweise von der Greisers. Wie im Warthegau stand aber der Massenmord an den einheimischen Juden im Distrikt Lublin im unmittelbaren Zusammenhang mit den Deportationen aus dem Reichsgebiet.

Das Muster von Deportation der zentraleuropäischen und gleich-
zeitiger Vernichtung der osteuropäischen Juden entsprach also dem von
Lodz, Riga und Minsk. Die Lebensbedingungen in diesen Ghettos, deren
Einwohner meist kurz vor dem Eintreffen der Züge aus dem Reichsgebiet ermordet worden waren, führten zum elenden Tod der weitaus meisten Deportierten innerhalb weniger Monate. Wer nicht in den Ghettos
starb, wurde in der Regel in die Vernichtungslager im Generalgouvernement deportiert.

Zwar hatten die Deportationen in den Osten von Anfang an unter
einer Vernichtungsabsicht gestanden; zunächst war jedoch trotz hoher
Todesraten und Exekutionen die – während des Winters 1941/42 immer
mehr zur Fiktion werdende – Intention einer späteren „Umsiedlung",
einer „endgültigen Lösung", aufrecht erhalten worden. Mit der dritten
Deportationswelle in den Distrikt Lublin und der Fertigstellung der Vernichtungslager im Generalgouvernement war die Absicht einer späteren Umsiedlung in den Osten zwar definitiv aufgegeben worden, der
Massenmord wurde jedoch hinter der aufrechterhaltenen Fassade eines
Umsiedlungsprogramms durchgeführt: Die in den Distrikt deportierten
Menschen wurden wie „Umsiedler" behandelt, die den Bedingungen im
„Ansiedlungsgebiet" nicht gewachsen waren und daher im Hinblick auf
die begrenzten Ernährung- und Unterbringungsmöglichkeiten, die Seuchengefahr und aufgrund der wegen der Kriegslage blockierten Möglichkeiten zur weiteren „Umsiedlung" beseitigt werden „mußten". Die
Vernichtung erfolgte also in einem mehrere Phasen umfassenden,
scheinbar Sachzwängen gehorchenden Prozeß: Deportation in den
Distrikt – Selektion in Arbeitsfähige und Nichtarbeitsfähige – Ghettoi-
sierung bzw. Zwangsarbeit – fortgesetzte Selektionen unter denjenigen,
die die unglaublichen Lebensbedingungen überstanden – Deportation
in die Vernichtungslager – schließlich Liquidierung der Ghettos und
Ermordung derjenigen, die alle vorangegangenen Stufen überlebt
hatten.

Ausweitung der Deportationen und Übergang zur
unterschiedslosen Ermordung

Während diese dritte Deportationswelle zwischen März und Juni
stattfand, traf das RSHA Vorbereitungen für ein sehr viel weiter gefaß-
tes europäisches Deportationsprogramm.

Parallel zu der dritten Welle wurden seit dem 25. März 1942 auf
Grund einer Vereinbarung mit der slowakischen Regierung 20.000 junge

Juden aus der Slowakei zum „Arbeitseinsatz" in das KZ Auschwitz und in den Distrikt Lublin deportiert. Während die ersten Transporte rollten, hatten die slowakische und die deutsche Regierung vereinbart, diese Deportation auf alle slowakischen Juden, insgesamt etwa 90.000 Menschen, auszudehnen. Bis Ende Juni waren 50.000 Juden aus der Slowakei deportiert worden. Ebenfalls im März 1942 erfolgte eine erste Deportation von Geiseln aus Frankreich nach Auschwitz, bis Mitte Juli waren in sechs Transporten 6000 Menschen dorthin verschleppt.

Ein wichtiger Anhaltspunkt dafür, daß diese ersten Deportationen aus Gebieten außerhalb des „Großdeutschen Reiches" bereits Teil eines europaweiten Programms waren, ist ein Vermerk aus dem Büro des slowakischen Premierministers Tuka vom 10. April 1942 über einen Besucher, der bezeichnet wurde als „Bevollmächtigter des RFSS [Reichsführers SS] und Chefs der Deutschen Polizei, Himmler, als Beauftragter des Reichsmarschalls Göring, der von dem Reichskanzler und Führer Adolf Hitler einen unmittelbaren Befehl zur Lösung der Frage der europäischen Juden bekam". Heydrich, der durch diese Beschreibung als der Besucher vom 10. April identifiziert ist, erklärte Tuka bei dieser Gelegenheit, daß die vorgesehene Deportation der slowakischen Juden nur „ein Teil des Programms sei". Es finde zur Zeit nämlich eine „Aussiedlung" von insgesamt „1/2 Million" Juden „aus Europa nach Osten statt", außer der Slowakei seien hiervon das Reichsgebiet, das Protektorat, die Niederlande, Belgien und Frankreich betroffen.

Geht man davon aus, daß zu diesem Zeitpunkt seitens des RSHA geplant war, die schon in Gang gekommene Deportation der Juden aus dem Reich (ohne eingegliederte Ostgebiete), dem Protektorat und der Slowakei vollständig durchzuführen, und legt man hierfür die auf der Wannsee-Konferenz präsentierten Zahlen zugrunde (insgesamt knapp 340.000 Menschen), so bliebe für den Westen eine Deportationsquote in einer Größenordnung (die von Heydrich erwähnte „1/2 Million" ist ja nur eine grobe Zahlenangabe) von etwa 160.000 Menschen übrig. Wir können hieraus die Schlußfolgerung ziehen, daß spätestens Anfang April durch das RSHA die Deportation von etwa einem Drittel der in Belgien, den Niederlanden und in Frankreich lebenden insgesamt etwa 500.000 Juden geplant war.

Die vierte Eskalationsstufe der Politik der Vernichtung setzte im April/Mai 1942 ein. Nun wurde von dem bisherigen Schema der Deportation zentraleuropäischer Juden in bestimmte Räume, in denen zunächst die einheimischen Juden ermordet wurden, abgewichen. Ende

April/Anfang Mai wurde offensichtlich die Entscheidung getroffen, ab sofort Juden unterschiedslos zu ermorden.

Vermutlich Ende April bzw. im Mai 1942 entschloß sich das NS-Regime, den Mord an den Juden in den Distrikten Lublin und Galizien auf das gesamte Generalgouvernement auszudehnen. Zum gleichen Zeitpunkt muß die Entscheidung gefallen sein, einen Massenmord unter den Juden des annektierten Oberschlesien durchzuführen; im Mai und Juni wurden Tausende nach Auschwitz deportiert und dort unmittelbar ermordet. Der systematische Massenmord an den Juden des Generalgouvernements begann im Juni, wurde dann jedoch wegen der Transportsperre zunächst für einige Wochen unterbrochen. Die Transportsperre, die wegen der militärischen Entwicklung im Osten verhängt wurde, hatte letztlich eine radikalisierende Wirkung auf die Entwicklung des Massenmordes: Durch sie wurden die Deportationen aus den Westgebieten beschleunigt, und während ihrer Dauer hatten die Planer des Massenmordes offensichtlich Gelegenheit, ihre Vorstellung zu überdenken und zu konsolidieren, so daß das Gesamtprogramm im Juli mit weit verheerender Wucht wieder gestartet werden konnte. So übernahm etwa die SS in dieser Phase den Komplex der jüdischen Zwangsarbeit im Generalgouverment, wodurch sie die Kontrolle über die von der Vernichtung zunächst ausgenommenen „arbeitsfähigen" Häftlinge in der Hand behielt.

Etwa gleichzeitig mit dieser Grundsatzentscheidung im Hinblick auf die Juden im Generalgouvernement, jedenfalls vor Mitte Mai, müssen die für die Radikalisierung des gesamten Mordprogramms wesentlichen Entscheidungen gefallen sein, die Deportationen aus dem Gebiet des „Großdeutschen Reiches" über die im März genannte Quote hinaus zu verstärken und die aus Zentraleuropa deportierten Juden bereits sämtlich oder fast vollständig beim Eintreffen der Transporte in den Bestimmungsorten im Osten umzubringen. So wurde seit Mitte Mai in Minsk mit den aus dem Reich verschleppten Juden verfahren, seit Anfang Juni in Sobibor mit den aus der Slowakei Deportierten.

Ein wichtiger Hinweis auf einen Befehl Himmlers aus dem Mai 1942 zur Ausdehnung der Morde ist erhalten. Mitte Mai 1942 teilte Gestapochef Müller dem Kommandeur der Sicherheitspolizei in Riga, Jäger, mit, entsprechend einer „generellen Anordnung des Reichsführers SS und Chefs der deutschen Polizei" seien „arbeitsfähige Juden und Jüdinnen im Alter von 16 bis 32 Jahren bis auf weitere Weisung von Sondermaßnahmen auszunehmen. Diese Juden sind dem geschlossenen Arbeitseinsatz zuzuführen. KZ oder Arbeitslager." Diese Ausnahmeregelung enthält implizit einen Hinweis darauf, welche Behandlung die älteren und die nicht arbeitsfähigen jüngeren Häftlinge sowie die Kinder unter 16 Jahren in der Regel innerhalb des KZ-Systems zu erwarten hatten: Sie waren den „Sondermaßnahmen" unterworfen. Möglicherweise war der Befehl Himmlers, den Müller hier zitiert und der im Original nicht erhalten ist, im Hinblick auf die nicht unter die Ausnahmeregelung fallende Personengruppe präziser.

Vermutlich am 17. April 1942 hatte Himmler bereits anläßlich eines Besuches im Warthegau, über den er zuvor ausführlich mit Hitler konferiert hatte, die Ermordung der etwa 10.000 noch im Lodzer Ghetto lebenden zentraleuropäischen Juden befohlen, die im Oktober 1941 dorthin verschleppt worden waren und die unmenschlichen Bedingungen im Ghetto überlebt hatten.

Mit diesen wohl in der zweiten Aprilhälfte bzw. Anfang Mai 1942 getroffenen Entscheidungen, die im Mai/Juni wirksam wurden (Ausdehnung der Morde in Polen auf das gesamte Generalgouvernement bzw. Oberschlesien, Ermordung der nach Minsk und Sobibor Deportierten unmittelbar nach ihrer Ankunft, Ermordung der zentraleuropäischen Juden im Lodzer Ghetto), wurde nun definitiv Abschied genommen von der Idee eines „Reservates" im Ostraum des Generalgouvernements oder in den besetzten Ostgebieten. Der Zusammenhang dieser erneuten Eskalation der Vernichtungspolitik mit der militärischen Entwicklung ist offensichtlich: Am 5. April hatte Hitler seine Weisung zur Vorbereitung der Sommeroffensive im Osten erlassen, die Anfang Mai auf der Krim eingeleitet werden sollte.

Anfang Juni wurde ein konkretes Deportationsprogramm für den Westen aufgestellt, das ab Mitte Juli innerhalb von drei Monaten verwirklicht werden sollte. (Danach mußte man mit einer weiteren Einstellung der Transporte bis zum Ende des Jahres 1942 rechnen). Diese Entscheidung folgte bereits in einem erheblichen Umfang der furchtbaren Eigenlogik des bereits in Gang gekommenen Gesamtprogramms: Mit der Realisierung dieses West-Programms wurden die Anfang April erstmalig erkennbaren „europäischen" Planungen fortgeschrieben und an die Bedingungen, die durch die Transportsperre im Osten im Juni/Juli 1942 eintraten, angepaßt.

Ziel dieser Transporte aus Westeuropa war Auschwitz, wohin, unter dem Eindruck der Transportsperre, nun auch alle slowakischen Juden verschleppt wurden. Hier geschah nun das gleiche, was bereits in Minsk und in Sobibor begonnen hatte: Ab dem 4. Juli 1942 wurde die Mehrheit der in Auschwitz eintreffenden Juden, zunächst diejenigen aus der

Slowakei, dann auch diejenigen aus den anderen Transporten, unmittelbar nach ihrer Ankunft (nach der „Selektion" auf der Rampe) in Gaskammern ermordet, die man provisorisch in zwei Bauernhäusern (den sogenannten Bunkern I und II) installiert hatte.

Im Juli 1942, nach der Aufhebung der Transportsperre, war also das Deportations- und Mordprogramm in vollem Umfang in Gang gekommen. Etwa eine Woche nach Aufhebung der Transportsperre überzeugte sich Himmler davon, daß die Mordmaschinerie funktionierte: Am 9. Juli besprach er mit dem für das Generalgouvernement zuständigen Höheren SS- und Polizeiführer Krüger sowie mit Globocnik Vorschläge, die letzterer Anfang Juni gemacht hatte und die die „Volkstums-" bzw. Judenpolitik im Distrikt Lublin betrafen. Nachdem er am 11., 12. und 14. Juli mehrfach mit Hitler zusammengetroffen war und nachdem er am 16. Juli das Verkehrsministerium hatte drängen lassen, mehr Züge für Deportationen zur Verfügung zu stellen, besichtigte er am 17. und 18. Juli Auschwitz, um sich die Ermordung von Menschen in Gaskammern vorführen zu lassen. Am Abend dieses Tages gab er sich auf einer Gesellschaft des schlesischen Gauleiters äußerst zufrieden. Aus Äußerungen, die er hier machte, zog einer seiner Zuhörer die Schlußfolgerung, daß die Ermordung der europäischen Juden beschlossene Sache sei – diese Information gelangte in die Schweiz und bildete die Grundlage für das sogenannte Riegner-Telegramm, durch das diese alarmierende Nachricht in die westliche Welt geleitet wurde. Nach seinem Besuch in Auschwitz suchte Himmler Globocnik in Lublin auf. Am 19. Juli gab er von dort den entscheidenden Befehl, daß die „Umsiedlung der gesamten jüdischen Bevölkerung des Generalgouvernements bis 31. Dezember 1942 durchgeführt und beendet ist".

Bereits während des Sommers 1942 wurden dann die ersten Vorbereitungen getroffen, um nach der zu erwartenden Einstellung der Transporte während des kommenden Winters die Deportationen aus dem Westen und dem Südosten des deutschen Herrschaftsbereichs verstärkt aufnehmen zu können. Bereits im Juli dürfte die Entscheidung gefallen sein, die kroatische Regierung dazu zu veranlassen, ihre Juden an die deutsche Seite auszuliefern – was zur Deportation von etwa 5000 kroatischen Juden nach Auschwitz noch im August führte.

Resümee der Entwicklung zwischen Herbst 1941 und Sommer 1942

Zieht man nun ein Resümee aus der Entwicklung in der Politik der Vernichtung zwischen Herbst 1941 und Frühjahr/Sommer 1942, zwischen der dritten und der vierten Eskalationsstufe, so ergibt sich folgendes Bild:

Als im Herbst 1941 das eigentlich erst für die Zeit nach dem geplanten Sieg über die Sowjetunion vorgesehene, umfassende Deportationsprogramm in Gang gesetzt wurde, war dies (neben anderen Motiven) wohl vor allem eine Drohung gegenüber den Vereinigten Staaten, mit der – im Sinne der „Prophezeiung" Hitlers vom 30. Januar 1939 – verdeutlicht werden sollte, welches Schicksal die Ausweitung des Krieges zum Weltkrieg für die Juden unter deutscher Herrschaft haben würde. Gleichzeitig wurden diese überstürzten Deportationen in überfüllte Ghettos oder noch nicht vorhandene Lager als Hebel benutzt, um den Verantwortlichen vor Ort radikalere Lösungen abzuverlangen, also die aus der Sowjetunion bekannte Strategie „judenfreier Räume" auf das besetzte Polen (Warthegau, Distrikte Lublin und Galizien) zu übertragen. Die Ermordung der jüdischen Männer Serbiens ist eine wichtige Parallele bei der Radikalisierung der Vernichtungspolitik, die in diesem Fall in Form einer Repressalie durch die Wehrmacht durchgeführt wurde.

Durch den Kriegseintritt der USA veränderte sich die Situation des „Dritten Reiches" grundlegend; es stand nun vor einem langfristigen Zwei- oder Drei-Fronten-Krieg, den es als Bündniskrieg führen und in dem es einen großen besetzten Raum unter Kontrolle halten mußte – bei gleichzeitigem Zwang zur vollen Mobilisierung aller innerer Ressourcen.

In dieser Konstellation erhielt die Vernichtungspolitik einen vollkommen neuen Stellenwert. Wir können hier nur versuchen, diese neue Rolle der Vernichtungspolitik ansatzweise zu bestimmen und Perspektiven aufzuzeigen. Zu diesem Zweck muß man sich zunächst vor Augen führen, daß das „Dritte Reich" seine eigentlichen Kriegsziele – nämlich die vorgesehene Neuordnung des europäischen Kontinents nach rassistischen Kriterien – nicht offenlegen bzw. konkretisieren konnte, da damit die Frage nach der Stellung der übrigen Völker innerhalb des „Neuen Europa" aufgeworfen worden wäre. Auch war das Reich schon deswegen nicht in der Lage, durch „positive" Schritte die geplante Neuordnung während des Krieges einzuleiten, da für umfangreichere Siedlungsprojekte etc. die Ressourcen fehlten.

Ebenso wie die „Rassenpolitik" des Regimes in Deutschland zwischen 1933 und 1939 sich auf Ausgrenzung und Ausmerzung beschränkt hatte, ließ sich auch während des Krieges die Politik einer europäischen „Neuordnung" auf rassistischer Grundlage nur negativ darstellen, mußte sich notwendigerweise in Vertreibung und Eliminierung unerwünschter Volksgruppen erschöpfen.

Die Deportation und Ermordung der europäischen Juden war aus nationalsozialistischer Sicht der während des Krieges einzig mögliche Einstieg in die rassistische Neuordnung. Da die Führung des „Dritten Reiches" entschlossen war, um keinen Preis diese „revolutionäre" Neuordnung Europas, für die sie in den Krieg gezogen war, aufzugeben, war die weitere Radikalisierung der Judenverfolgung, die auch schon vor 1939 das Kernstück der „Rassenpolitik" bildete, hin zu einer Politik systematischer Vernichtung unvermeidlich.

Durch den Beginn der Deportationen aus den verschiedenen besetzten und verbündeten Staaten im Laufe des Jahres 1942 wurde die bisher auf den Osten konzentrierte „Lebensraumpolitik" zu einer ganz Europa umfassenden Neuordnungspolitik stilisiert. Dadurch wurden die verbündeten Staaten bzw. die kollaborationsbereiten Kräfte in den besetzten Gebieten der Hegemonie des Rassismus unterworfen; sie wurden zu Werkzeugen und Komplizen einer verbrecherischen Politik und waren somit auf Gedeih und Verderb an die deutsche Führungsmacht gebunden. Die Ausdehnung der Deportationen führte gleichzeitig zu einer Stärkung der radikalen Kräfte innerhalb der deutschen Besatzungsverwaltungen und damit zu einer allgemeinen Gewichtsverlagerung zugunsten von Partei und SS in der Peripherie des deutschen Herrschaftsgebietes. Auf diese Weise wurde die Politik der Vernichtung zur Klammer der deutschen Besatzungs- und Bündnispolitik.

Die Politik der Vernichtung war aber auch ein Instrument zur inneren Radikalisierung in Deutschland. Durch die vor der Öffentlichkeit nicht verborgenen Deportationen, durch die in Form eines „öffentlichen Geheimnisses" greifbaren Gerüchte und Informationen über die Massenexekutionen im Osten sowie durch die seit der Kriegswende 1942/43 massiv einsetzende, auf eine internationale jüdische Verschwörung bezogene Angst- und Rachepropaganda wurde der deutschen Bevölkerung deutlich gemacht, daß sie sich in eine Politik hatte verstricken lassen, aus der es keinen Weg zurück mehr gab. Diese unterschwellige Drohung gegenüber der eigenen Bevölkerung, die auf subtile Weise vermittelte Einsicht einer Komplizenschaft mit dem Regime, scheint mir das eigentliche Problem hinter der Frage nach dem Wissen oder Nichtwissen der Deutschen über den Holocaust zu sein.

Auf die Kritik an der – den Kriegsanstrengungen entgegenstehenden – Ermordung jüdischer Arbeitskräfte reagierte das Regime, indem es die Vernichtungspolitik aus dem Zusammenhang eines Deportationsprogramm herauslöste und in den Kontext eines Arbeitseinsatzprogramms stellte. Auf diese Weise wurden die zur Ermordung bestimmten Menschen noch „sinnvoll" eingesetzt. Langfristig glaubte man, das Arbeitskräfteproblem durch die millionenfache Rekrutierung von „Fremdarbeitern" lösen zu können.

Sieht man die Politik der Vernichtung ab 1942 in diesem umfassenden Kontext, so wird deutlich, daß sie für die Kriegspolitik des Regimes zentrale Funktionen einnahm: als Substitut für die nicht mögliche „positive" Neuordnung, als Klammer der deutschen Besatzungs- und Bündnispolitik, als Anstoß zur inneren Radikalisierung und als Hebel zur komplizenhaften Verstrickung der deutschen Bevölkerung mit dem Schicksal des Regimes, schließlich als ein Programm zur restlosen Ausbeutung und Erschöpfung jüdischer Arbeitskraft. Zieht man diese verschiedenen Funktionen der Vernichtungspolitik in Betracht, so wird erklärbar, warum die Ausdehnung des Krieges Ende 1941 zu einer weiteren Radikalisierung der Vernichtungspolitik führte.

Der systematische Mord an den europäischen Juden ist eben nicht hinreichend erklärbar als das Ergebnis einsamer Entscheidungen des Diktators, sie ist nicht primär das Resultat einer realitätsblinden Verselbständigung einer irrationalen Ideologie, sie ist nicht allein auf die Tätigkeit einer heißgelaufenen, kumulativ sich radikalisierenden Bürokratie zurückzuführen, sondern sie ist das Ergebnis einer konsequent verfolgten Politik der NS-Führung, die in den verschiedenen Phasen der Existenz des „Dritten Reiches" an die äußeren Umstände angepaßt wurde. Nur wenn man die Vernichtungspolitik als integralen Bestandteil nationalsozialistischer Kriegspolitik sieht, als einen Hauptfaktor neben strategischen, rüstungswirtschaftlichen, bündnispolitischen Erwägungen, wird man ihrer Rolle innerhalb der Geschichte des NS-Regimes gerecht werden.

Diese Veränderungen der Randbedingungen der Vernichtungspolitik führt uns zurück zur Interpretation des Wannseeprotokolls.

Das Wannsee-Protokoll als Momentaufnahme einer Übergangsphase

Tatsächlich stand die Wannsee-Konferenz an einem Scheidepunkt. Auf der einen Seite wurde noch festgehalten an der ursprünglichen und bereits durch konkrete Schritte eingeleiteten Absicht einer Totaldeportation und Vernichtung in Lagern in den besetzten sowjetischen Gebieten („straßenbauend" als Synonym für Zwangsarbeit unter unzureichenden Lebensbedingungen), während andererseits aber bereits absehbar war, daß ein baldiger Sieg als Voraussetzung für die Durchführung dieses Plans, zumindest kurzfristig nicht mehr erwartet werden konnte.

Bei dem Wannsee-Protokoll handelt es sich also um eine Momentaufnahme aus einem Prozeß, in dem die Führungsränge der SS einen Perpektivwechsel vollzogen fort von der Vorstellung einer „Endlösung" nach Kriegsende bzw. im Falle eines Weltkrieges, hin zu der neuen Absicht, nun immer größere Abschnitte der „Endlösung" während des Krieges durchführen zu können (also sie „vorwegzunehmen"). Diese neue Perspektive schloß zunächst immer noch die Zeit nach Kriegsende ein: In diesem kritischen Zeitraum wurde die Ostdeportation immer mehr zur Fiktion, der Massenmord im Generalgouvernement zunehmend zur Realität. Den Teilnehmern der Konferenz sollte in der bisher schwersten Krise des Krieges der Eindruck vermittelt werden, das RSHA besäße ein Konzept, die in den verschiedenen besetzten Gebieten begonnenen Massenmorde in eine langfristig zu verwirklichende „Gesamtlösung" münden zu lassen.

Diese doppelte Perspektive ist anhand des Konferenzprotokolls nachweisbar: Auf der einen Seite sprach Heydrich von der „kommenden Endlösung", also von dem für die Zeit nach Kriegsende abzuschließenden Deportationsprogramm, das 11 Millionen Juden umfassen sollte, darunter diejenigen Großbritanniens, Irlands, Portugals, Schwedens, der Schweiz, Spaniens und der Türkei – alles Länder, die erst nach einem siegreichen Abschluß des Krieges deutscher Kontrolle unterliegen würden.

Von dieser „kommenden" Lösung grenzte Heydrich ad hoc-Maßnahmen ab, wenn er als „weitere Lösungsmöglichkeit nach entsprechender vorheriger Genehmigung durch den Führer die Evakuierung der Juden nach dem Osten" bezeichnete. Diese „Aktionen" (also die bereits eingeleiteten Deportationen) seien lediglich „Ausweichmöglichkeiten", bei denen jedoch „jene praktischen Erfahrungen gesam-

44

melt" werden würden, die „im Hinblick auf die kommende Endlösung der Judenfrage von wichtiger Bedeutung" seien. Die Tatsache, daß Heydrich besonders auf die für diese Deportationen vorliegende „Genehmigung des Führers" verwies, deutet im übrigen darauf hin, daß die entsprechende Erlaubnis für die Auslösung der „kommenden Endlösung" noch nicht vorlag.

Die Vorstellung eines gigantischen Arbeitseinsatzprogramms im Osten nach dem Vorbild der bereits in Angriff genommenen Bauprojekte, bei der ein großer Teil der Deportierten „durch natürliche Verminderung ausfallen", der „Restbestand" „entsprechend zu behandeln" sei, bezieht sich ebenso auf die „kommende Endlösung", die noch in Gang zu setzen sei. Heydrich weist auch darauf hin, daß die „einzelnen größeren Evakuierungsaktionen weitgehend von der militärischen Entwicklung abhängig sein", also mindestens nicht vor Ende des Winters erfolgen könnten.

Das gesamte deutsche Herrschaftsgebiet, so Heydrich weiter, solle im „Zuge der praktischen Durchführung der Endlösung" von Westen nach Osten „durchgekämmt" werden, wobei das Reichsgebiet einschließlich des Protektorats „vorweggenommen" werden müsse. Auch dieser Satz verweist also deutlich auf zwei Handlungsebenen, auf die große, „kommende" Lösung und auf die bereits eingeleiteten ad hoc-Maßnahmen. Wenn Heydrich fortfährt, die „evakuierten Juden" würden „zunächst Zug um Zug in sogenannte Durchgangsghettos verbracht, um von dort aus weiter nach dem Osten transportiert zu werden", dann bezeichnet er offenkundig eine Zwischenlösung für diesen Personenkreis für die Zeit bis zur „Endlösung".

Des weiteren läßt sich aus dem Wannsee-Protokoll entnehmen, daß die Ermordung der im Generalgouvernement und in den besetzten sowjetischen Gebieten lebenden Juden bereits aus dem großen „Endlösungs"-Programm herausgenommen worden war. Indem Staatssekretär Bühler auf der Wannsee-Konferenz den Wunsch der Regierung des Generalgouvernements überbrachte, „mit der Endlösung dieser Frage im Generalgouvernement" zu beginnen, unter anderem, weil hier „das Transportproblem keine übergeordnete Rolle spielt" und „arbeitseinsatzmäßige Gründe den Lauf dieser Aktion nicht behindern" würden, da ohnehin die große Mehrzahl nicht arbeitsfähig sei, und indem im Anschluß daran sowohl er wie Gauleiter Meyer vom Ostministerium den Standpunkt vertraten, „gewisse vorbereitende Arbeiten im Zuge der Endlösung gleich in den betreffenden Gebieten selbst durchzuführen", brachten beide zum Ausdruck, daß die „nicht arbeitsfähigen" Juden in diesen Gebieten an Ort und Stelle ermordet werden sollten, so wie es durch die Einsatzgruppen in der besetzten Sowjetunion und durch die Gaswagen im Warthegau bereits in großem Umfang geschah und wie es für Lublin in Aussicht genommen worden war („Liquidiert sie doch selber", wie Frank den Bescheid aus Berlin so treffend charakterisiert hatte). Allerdings war die zeitliche Perspektive dieser Vernichtungsmaßnahmen noch offen.

Aus dem Wortlaut des Protokolls und aus unserer Analyse der Ereignisse des Frühjahrs und Sommers 1942 geht nun aber hervor, daß die „kommende Endlösung" erst im Mai 1942, also vier Monate nach der Wannsee-Konferenz ansatzweise begann und – unterbrochen durch die Transportsperre – im vollen Umfang im Juli 1942 einsetzte. Die aus dem Endlösungsprogramm abgegrenzten „vorbereitenden" Maßnahmen im Generalgouvernement setzten im März 1942 mit der Ermordung des Großteils der Juden der Distrikte Lublin und Galizien ein und wurden im Juni, verstärkt im Juli, fortgesetzt, als die systematische Vernichtung der Juden des Generalgouvernements begann. Im Sommer 1942 scheint auch die schon im Sommer 1941 begonnene Ermordung der Juden in der Sowjetunion noch einmal eine neue Eskalation erfahren zu haben.

Es erscheint durchaus möglich, daß das Endziel der Deportationen im Rahmen der „kommenden Endlösung" zum Zeitpunkt der Wannsee-Konferenz noch unbestimmt war und sich erst allmählich in den kommenden Monaten die Vorstellung durchsetzte, die ursprünglich für die besetzten sowjetischen Gebiete bestimmten Deportationen umzuleiten in die im Aufbau befindlichen Vernichtungsstellen im besetzten Polen. Für Heydrich kam es am 20. Januar 1942 vor allem auf zweierlei an: Erstens mußten die Deportationen durch die entscheidenden Reichsbehörden akzeptiert sein (alles was nach den Deportationen geschah, war eine interne Angelegenheit der SS und nicht mehr mit den anderen Stellen abzustimmen). Zweitens mußte der Kreis der zu Deportierenden festgelegt werden, das heißt, es mußte der Status der „Mischlinge" und mit Nichtjuden Verheirateten geklärt werden.

Diesem Zweck diente der zweite Teil der Wannsee-Konferenz. Heydrich schlug vor, sogenannte „Mischlinge ersten Grades" – bis auf bestimmte Ausnahmefälle – grundsätzlich zu deportieren. Ebenso sollten Juden oder „Mischlinge ersten Grades", die mit „Ariern" verheiratet waren, im Regelfall aus dem Reichsgebiet verschleppt oder in ein „Altersghetto" eingewiesen werden. Die absurd-komplizierte Klassifikation der „Mischlinge" durch die NS-Rassengesetze, das machte Heydrichs Vortrag indessen deutlich, hätte zahlreiche Einzelfallentschei-

dungen notwendig gemacht. Um die sich hieraus zwangsläufig erge-
benden „unendlichen Verwaltungsarbeiten" zu vermeiden, schlug der
Staatssekretär im Innenministerium Stuckart vor, „zur Zwangssterilisierung zu schreiten". Dieses Thema konnte auf der Konferenz nicht
ausdiskutiert und entschieden werden und sollte daher in mehreren
Nachfolgebesprechungen – die dann allerdings ebenfalls ohne ab-
schließendes Ergebnis dazu verliefen – behandelt werden.

Gerade durch die detaillierte Erörterung der „Mischlings-" und der
„Mischehen"-Problematik wurden die Vertreter der Ministerialbürokratie – in einem inkludenten Verfahren – zu Mitwissern und Mitverantwortlichen der „Endlösung" gemacht. Denn gerade durch die
Bedenken, die aus ihren Reihen dagegen erhoben wurden, bestimmte
Randgruppen in die Deportationen einzuschließen, hatten die Ministe-
rialbeamten zu erkennen gegeben, daß sie gegen das Prinzip der Deportation von Juden keine Bedenken hatten. Dies aber war das entscheidende Ergebnis der Sitzung und der wesentliche Grund dafür, daß
Heydrich in einem ausführlichen Protokoll die Grundsätze der künftigen Politik der Vernichtung festhalten ließ.

KOMMENTIERTE AUSWAHLBIBLIOGRAPHIE
zur Wannsee-Konferenz und dem Beginn des Völkermords an den europäischen Juden

Zusammengestellt u. kommentiert vom Haus der Wannsee-Konferenz

Die historiographische Literatur zum Völkermord an den europäischen Juden ist derart umfangreich, daß hier nur die wichtigsten Arbeiten vorgestellt werden können, bei denen auch ein Bezug zur Wannsee-Konferenz von 1942 und dem – in der Forschung immer deutlicher herausgearbeiteten – Wendepunkt in der Mordpolitik zwischen 1939 und 1942 besteht und die in der wissenschaftlichen Debatte des letzten Jahrzehnts eine größere Rolle gespielt haben (Teile II. bis VI.). Über diese Veröffentlichungen läßt sich die weitere Forschung leicht erschließen. Alle im Vortrag genannten Arbeiten sind hier nachgewiesen.

Einige noch immer wichtige Standardwerke sowie Quellensammlungen werden im Teil I. aufgeführt. Diese Titel werden überwiegend hier nicht kommentiert.

I.   Standardwerke und Quelleneditionen
II. „Entschlußbildung" und Beginn des Völkermords
III. Bedeutung der Wannsee-Konferenz
IV. Spannungsfeld von „Arbeit und Vernichtung"
V.   Regional- und Lokalstudien
VI. Biographische Arbeiten

I.   Standardwerke und Quelleneditionen

Uwe D. Adam
Judenpolitik im Dritten Reich
Königstein/Ts. 1979

Wolfgang Benz, Hermann Graml und Hermann Weiß (Hg.)
Enzyklopädie des Nationalsozialismus
Stuttgart 1997

Martin Broszat
„Hitler und die Genesis der ‚Endlösung'. Aus Anlaß der Thesen von David Irving"
In: Vierteljahrshefte für Zeitgeschichte, Jg. 25/1977, S. 739–775

Lucy S. Dawidowicz
Der Krieg gegen die Juden 1933–1945
Wiesbaden 1979

Gerald Fleming
Hitler und die Endlösung. „Es ist des Führers Wunsch…"
Vorwort von Wolfgang Scheffler, Wiesbaden 1982

Henry Friedlander und Sybil Milton (Hg.)
Archives of the Holocaust. An international collection of selected documents
New York, 22 Bde., 1990 ff.
(Umfangreichste Quellensammlung. Dokumente in Faksimile; Bände sortiert nach Archiven.)

Hermann Graml und Klaus-Dietmar Henke (Hg.)
Nach Hitler. Der schwierige Umgang mit unserer Geschichte. Beiträge von Martin Broszat
München 1987

Klaus-Dietmar Henke und Claudio Natoli (Hg.)
Mit dem Pathos der Nüchternheit. Martin Broszat, das Institut für Zeitgeschichte und die Erforschung des Nationalsozialismus
Frankfurt/M. 1991

Gerhard Hirschfeld (Hg.)
**Der „Führerstaat". Mythos und Realität.
Studien zur Struktur und Politik des Dritten Reiches**
Stuttgart 1981

Raul Hilberg
Die Vernichtung der europäischen Juden
Frankfurt/M. (Fischer Tb. Verlag), 3 Bde., 1990

Eberhard Jäckel und Jürgen Rohwer (Hg.)
**Der Mord an den Juden im Zweiten Weltkrieg.
Entschlußbildung und Verwirklichung**
Stuttgart 1985

Eberhard Jäckel, Peter Longerich und Julius H. Schoeps (Hg.)
(Hauptherausgeber Israel Gutmann)
Enzyklopädie des Holocaust.
Die Verfolgung und Ermordung der europäischen Juden
Berlin, 3 Bde, 1992

Norbert Kampe (Hg.)
Jewish Emigration from Germany 1933–1942.
A Documentary History
München, New York u.a., 2 Bde. 1992 (Jewish Immigrants of the Nazi Period, hrsg. Von Herbert A. Strauss, Bd. 4/1,2)
(Kommentierte Dokumente zur Zwangsauswanderung, jüdischer Selbsthilfe und der Haltung der westlichen Welt gegenüber jüdischen Einwanderern. Doc. 254d ist die amtliche englische Übersetzung des Wannsee-Protokolls.)

Peter Longerich (Hg.)
Die Ermordung der europäischen Juden.
Eine umfassende Dokumentation des Holocaust 1941–1945
München, Zürich (Piper Tb.) 1989
(Sehr nützliche kommentierte Dokumentensammlung)

John Mendelsohn (Hg.)
The Holocaust. Selected documents in eighteen volumes
New York, 18 Bde., 1982
Darunter Bd. 11: The Wannsee protocol and a 1944 report on Auschwitz by the Office of Strategic Services.
(Quellensammlung. Dokumente in Faksimile; Bände sortiert nach Themen.)

Hans Mommsen
„Die Realisierung des Utopischen.
Die ‚Endlösung der Judenfrage' im ‚Dritten Reich'"
In: Geschichte und Gesellschaft, Jg. 3/1983, S. 381–420

Kurt Pätzold (Hg.)
Verfolgung, Vertreibung, Vernichtung.
Dokumente des faschistischen Antisemitismus 1933–1945
Leipzig 1987
(Beste Quellensammlung der DDR-Historiographie)

Karl A. Schleunes
The twisted road to Auschwitz.
Nazi policy toward German Jews 1933–1939
With a new bibliographic essay by the author and a foreword by
Hans Mommsen, Urbana 1990

Gerhard Schoenberner
Der gelbe Stern. Die Judenverfolgung in Europa 1933–1945
Frankfurt/Main (Fischer Tb.) 1995
(Standardwerk zur Photographie des Holocaust)

II. „Entschlußbildung" und Beginn des Völkermords

Götz Aly
„Endlösung". Völkerverschiebung und der Mord
an den europäischen Juden
Frankfurt/Main 1995
(Materialreiche Studie über die gescheiterten Umsiedlungsprojekte von
Polen und Juden besonders in den eingegliederten westpolnischen
Gebieten. Die vergeblichen „Germanisierungsversuche" schufen eine
aus nationalsozialistischer Perspektive „unhaltbare Situation", die in
einem schrittweisen Entscheidungsprozeß hin zum Massenmord
„gelöst" wurde.)

Christopher R. Browning
„The Decision concerning the Final Solution"
In: Francois Furet (Hg.), Unanswered Questions.
Nazi Germany and the Genocide of the Jews,
New York 1989, S. 96–118
(In diesem Beitrag engagiert sich Browning für die Version einer zeit-
lichen Dehnung des Ablaufs der Entscheidungen zum Völkermord. Zu-
nächst waren nur die Juden in der besetzten Sowjetunion betroffen. Im
Sommer 1941 erfolgte die Entscheidung, alle Juden Europas in den
Osten zu deportieren. Erst die Mißerfolge bei der deutschen Offensive
im Herbst 1941 ließen eine Situation entstehen, in der die Deportation
der deutschen Juden angeordnet wurde, obwohl eine Verschleppung in
die sowjetischen Gebiete nicht mehr möglich war. Der ‚Ausweg' war
eine weitere Entscheidung zum Massenmord mit dem parallel dazu ver-
laufenden Aufbau der Vernichtungslager Chelmno und Belzec.)

Philippe Burrin
Hitler und die Juden. Die Entscheidung für den Völkermord
Frankfurt/Main 1993
(Rekonstruktion des Zeitpunktes einer Entscheidung zum Massenmord an den Juden Europas, wobei der Autor den Massenmord an den Juden in der Sowjetunion als regional begrenzten Entschluß qualifiziert und die Ausweitung eines Mordbefehls durch Hitler im September/Oktober 1941 annimmt.)

David Cesarani (Hg.)
The Final Solution. Origins and Implementation
London 1994
(Sammelband mit Beiträgen zu einer Konferenz in London 1992, u.a. von Christopher Browning, Omer Bartov, Christian Streit und Jürgen Förster, von denen die Rolle des Angriffs auf die Sowjetunion und der Verlauf des Krieges im Herbst 1941 für den Entscheidungsprozeß zum Mord an den Juden Europas unterschiedlich bewertet wird.)

Henry Friedlander
Der Weg zum NS-Genozid. Von der Euthanasie zur Endlösung
Berlin 1997
(Materialreiche detaillierte Studie über die sogenannte Euthanasie, die der Autor als „Modell" zur Einleitung auch des Völkermords an den Juden sieht. Täter und Tatbeteiligte werden hier ausführlich berücksichtigt. Mit der Rekonstruktion der Morde an behinderten Juden beleuchtet der Autor einen bislang kaum bekannten Teilaspekt der „Euthanasie".)

L. J. Hartog
Der Befehl zum Judenmord. Hitler, Amerika und die Juden
Bodenheim 1997
(Überlegungen zu einem „Führerbefehl" auf der Grundlage bekannter Quellen zur Rekonstruktion eines Entscheidungsprozesses zum Mord an den Juden Europas. Mit der Kriegserklärung Hitlers an die USA hätten die Juden im deutschen Machtbereich ihre Geiselrolle verloren. Zwischen dem 7. und dem 12. Dezember 1941 habe Hitler den Befehl zum Massenmord in den dafür vorbereiteten Lagern Chelmno und Auschwitz gegeben.)

Stig Hornshoj – Møller
**„Die Entscheidung. Der antisemitische Propagandafilm
‚Der ewige Jude‘ und seine Bedeutung für den Holocaust"**
In: Gerhard Maletzke und Rüdiger Steinmetz (Hg.)
Zeiten und Medien – Medienzeiten
Festschrift zum 60. Geburtstag von Karl Friedrich Reimers
Leipzig 1995, S. 142–163
*(Der Autor versucht Hitlers Einflußnahme auf das Zustandekommen des
Propagandafilms zu klären und stellt die These auf, daß Hitler durch
den Film eine Bestätigung für das Recht zum Massenmord suchte. Der
Film und seine Endabnahme durch Hitler am 2. September 1940 wird
hier zur visuellen „Selbstversicherung" Hitlers erklärt, daß der Mas-
senmord an den Juden „notwendig" sei.)*

Peter Longerich
**„Vom Massenmord zur ‚Endlösung‘. Die Erschießungen von
jüdischen Zivilisten in den ersten Monaten des Ostfeldzuges im
Kontext des nationalsozialistischen Judenmords"**
In: Bernd Wegner (Hg.) Zwei Wege nach Moskau.
Vom Hitler-Stalin-Pakt zum „Unternehmen Barbarossa."
München, Zürich 1991, S. 251–274
*(Der Autor plädiert angesichts der durch Prozeßtaktik hervorgerufenen
widersprüchlichen Aussagen über die Weitergabe eines Massenmord-
befehls an die Führer der Einsatzgruppen für eine stärkere Berück-
sichtigung der zeitgenössischen Quellen. Er verwirft die These von Hel-
mut Krausnick, wonach der Mordbefehl an allen Juden in der
Sowjetunion bereits im Frühjahr 1941 konzipiert worden sei oder im
Juni, am Vorabend des Angriffs, weitergegeben wurde. Erst vor Ort, im
Laufe des August, wurden systematisch ganze jüdische Gemeinden ausgerottet.)*

Ralf Ogorreck
Die Einsatzgruppen und die „Genesis der Endlösung"
Berlin 1996
(Dokumente – Texte – Materialien, Bd. 12)
*(Detaillierte Studie auf der Grundlage der Strafverfahren gegen
Angehörige der Einsatzgruppen mit dem Ziel zu klären, welcher Wis-
sensstand bei den Angehörigen, Kommandoführern und Chefs der Ein-
satzgruppen vor und im Verlauf des Krieges gegen die Sowjetunion hin-
sichtlich ihrer Aufgaben geherrscht hat. Im Mittelpunkt steht hier die*

Rekonstruktion der Befehlswege und des Zeitraums, in dem der Mordbefehl weitergegeben wurde. Die besondere Problematik der benutzten Quellen wird durch eine Kritik der Prozeßstrategie des jeweiligen Aussagenden berücksichtigt.)

Karin Orth
„Rudolf Höss und die ‚Endlösung der Judenfrage‘.
Drei Argumente gegen die Datierung auf den Sommer 1941"
In: Werkstatt Geschichte, Jg. 18/1997, S. 45–58
(Quellenkritische Auseinandersetzung mit der Aussage von Rudolf Höss, wonach er im Sommer 1941 von Himmler den Befehl zum Massenmord an den Juden in Auschwitz erhalten habe. Es werden sowohl die faktischen Gegebenheiten als auch die Intentionen von Höss untersucht, ob es ihm bei der Abfassung der Aussage überhaupt auf eine exakte Datierung ankam.)

Dieter Pohl
„Die Holocaust-Forschung und Goldhagens Thesen"
In: Vierteljahrshefte für Zeitgeschichte, Jg. 45/1997, S. 1–48
(Wichtiger Forschungsbericht über die Ergebnisse der seriösen Historiographie im Kontrast zu Daniel Goldhagens Arbeit.)

Volker Rieß
Die Anfänge der Vernichtung „lebensunwerten Lebens" in den
Reichsgauen Danzig-Westpreußen und Wartheland 1939/40
Frankfurt/Main, Berlin u.a. 1995
(Mittels kritischer Auswertung einer Fülle von Strafverfahrensunterlagen rekonstruiert der Autor einerseits die territoriale Ausprägung der „Euthanasie" in den eingegliederten westpolnischen Gebieten und beleuchtet andererseits die Anfänge des sogenannten „Sonderkommandos Lange", das seit dem Herbst 1941 als stationäre Mordeinheit das erste Vernichtungslager Chelmno errichtete.)

Hans Safrian
Eichmann und seine Gehilfen
Frankfurt/Main 1995 (Fischer Tb)
(Darstellung und Analyse der Rolle Eichmanns, Günthers, Brunners und Wislicenys im Verfolgungs- und Vernichtungsprozeß gegen die Juden Europas. Safrian nimmt anstelle eines einmaligen Befehls eine stufenweise Durchsetzung des Genozid-Programms an.)

Gerd R. Überschär
„Der Holocaust im ‚Fall Barbarossa‘.
Die Judenvernichtung in der UdSSR"
In: Tribüne, Jg. 22/1994, S. 127–144
(Literaturübersicht zu den wichtigsten Arbeiten und Forschungsergebnissen hinsichtlich des Massenmordes durch die Einsatzgruppen.)

Peter Witte
„Zwei Entscheidungen in der ‚Endlösung der Judenfrage‘.
Deportationen nach Lodz und Vernichtung in Chelmno"
In: Theresienstädter Studien und Dokumente, 1995, S. 38–68
(Der Autor zeigt den Weg hin zu einer Deportationsentscheidung Hitlers auf, die ungeachtet eines unerwarteten Kriegsverlaufes am 16./17. September 1941 erfolgte. Sie erscheint hier als kurzfristig zustande gekommen und als Reaktion Hitlers auf die Deportation der Wolgadeutschen durch die Sowjets und die Deportationswünsche etwa des Hamburger Gauleiters Kaufmann sowie des deutschen Botschafters in Paris Otto Abetz. Der Mordbefehl an den deutschen deportierten Juden ist hier deutlich von den anderen bereits laufenden Massenmordaktionen in Polen und in der Sowjetunion abgesetzt und wird auf den April 1942 datiert.)

III. Bedeutung der Wannsee-Konferenz

Yehoshua Büchler
„A Preparatory Document for the Wannsee Conference"
In: Holocaust and Genocide Studies, Jg. 9/1995, S. 121–129
(Wiedergabe und Kommentierung eines Vermerks über den Besuch des Höheren SS- und Polizeiführers Krüger bei Heydrich, in dessen Verlauf Krüger berichtete, daß die Zivilverwaltung des Generalgouvernements die „Lösung der Judenfrage" an sich ziehen wolle. Nach diesem Besuch am 28. November 1941 wurde Eichmann am 1. Dezember 1941 angewiesen, dem Staatssekretär Bühler und dem HSSPF Krüger ebenfalls Einladungen zur Wannsee-Konferenz zu schicken.)

Christian Gerlach
„Die Wannsee-Konferenz, das Schicksal der deutschen Juden und Hitlers politische Grundsatzentscheidung, alle Juden Europas zu ermorden"
In: Werkstatt Geschichte, Jg. 6/1997, S. 7–44
(Detailreiche Neubewertung der Wannsee-Konferenz, welche auf teilweise neu aufgefundenen Quellen beruht. Vor dem Hintergrund einer von Hitler auf einer Reichs- und Gauleiter-Tagung am 12. Dezember 1941 verkündeten Entscheidung, die Juden Europas ermorden zu lassen, zeigt der Autor, daß es eine ursprüngliche Zielsetzung der Wannsee-Konferenz gegeben haben muß, die nach der Verschiebung auf den Januar 1942 erweitert wurde.)

Eberhard Jäckel
„On the Purpose of the Wannsee-Conference"
In: James A. Pacy and Alan P. Wertheimer (Hg.)
Perspectives on the Holocaust. Essays in Honor of Raul Hilberg,
San Francisco 1995, S. 39–50
(Nach einer kurzen Darstellung der Wannsee-Konferenz erfolgt eine genaue Untersuchung der Ausführungen Heydrichs. Jäckel stellt die These auf, daß der Chef der Sicherheitspolizei und des SD die Konferenz zur eigenen Profilierung nutzte und als eigentlicher „Architekt" des Massenmordes anzusehen ist.)

Wolf Kaiser
„Die Wannsee-Konferenz. SS-Führer und Ministerialbeamte im Einvernehmen über die Ermordung der europäischen Juden"
In: Heiner Lichtenstein, Otto R. Romberg (Hg.)
Täter – Opfer – Folgen, Bonn 1995 S. 24–37
(Schriftenreihe der Bundeszentrale für politische Bildung, Bd. 335)
(Zusammenfassung der Inhalte und Ziele der Wannsee-Konferenz, die den Blick auf die Rolle der traditionellen Staatsverwaltung beim Massenmord an den Juden lenkt. Die Wannsee-Konferenz ist hier Beispiel für die Verschmelzung des nicht an hergebrachten Normen orientierten nationalsozialistischen Machtapparates mit der nach gesetzlichen Vorgaben handelnden traditionellen Verwaltung.)

Norbert Kampe
„‚Endlösung' durch Auswanderung? Zu den widersprüchlichen Zielvorstellungen antisemitischer Politik bis 1941"
In: Wolfgang Michalka (Hg.), Der Zweite Weltkrieg. Forschungsbilanz und Forschungsperspektiven, München 1990, S. 827–843 (in Russisch: Moskau 1995)
(Zum Realitätsgehalt der Auswanderungsoption im ersten Teil des Vortrags von Heydrich auf der Wannsee-Konferenz.)

Peter Klein
Die Wannsee-Konferenz vom 20. Januar 1942.
Analyse und Dokumentation
Berlin o. J. (1995)
(Hrsg. von der Gedenk- und Bildungsstätte Haus der Wannsee-Konferenz mit Faksimiledruck der wichtigsten Dokumente. Es werden darin die Verhältnisse an den Deportationsorten und die bürokratischen Schwierigkeiten bei den Deportationen mit in die Analyse der Wannsee-Konferenz einbezogen. Weiterhin wird versucht, einzelne Gesprächsthemen den jeweiligen Konferenzteilnehmern zuzuordnen, um den Hintergrund des eingeladenen Teilnehmerkreises aufzuhellen.)

Kurt Pätzold und Erika Schwarz
Tagesordnung: Judenmord.
Die Wannsee-Konferenz am 20. Januar 1942
Berlin 1992 (Dokumente – Texte – Materialien, Bd.3)
(Materialreiche Edition von zeitgenössischen Dokumenten sowie von Verhören und Aussagen über die Wannsee-Konferenz. Kurzbiographien aller Teilnehmer und Bemerkungen zu den Äußerungen Eichmanns über die Konferenz während seiner Untersuchungshaft vervollständigen die Dokumentation. In der Einleitung vertreten die Autoren die Auffassung, daß ein Befehl zum Mord an den Juden Europas seit dem Sommer 1941 vorgelegen haben müsse.)

Wolfgang Scheffler und Helge Grabitz
„Die Wannsee-Konferenz. Ihre Bedeutung in der Geschichte des nationalsozialistischen Völkermords"
In: Studia nad Faszyzmem i Zbrodniami Hitlerowskimi,
Jg. 18/1995, S. 197–219
(Analyse der Wannsee-Konferenz mit dem Verweis auf die persönlichen Zielsetzungen Heydrichs, die Möglichkeiten und Grenzen seiner Kom-

*petenzen hinsichtlich der Organisation von Deportation und Massen-
mord und die „Erfahrungen" des RSHA mit den Mordaktionen seit dem
Herbst 1941.)*

IV. Spannungsfeld von „Arbeit und Vernichtung"

Wolf Gruner
Der Geschlossene Arbeitseinsatz deutscher Juden.
Zur Zwangsarbeit als Element der Verfolgung 1938–1943
Berlin 1997 (Dokumente – Texte – Materialien, Bd. 20)
*(Ausgehend von einer zunehmenden Pauperisierung der Juden in
Deutschland seit 1938 verdeutlicht der Autor anhand einer Fülle von
Indizien aus Lokal- und Regionalarchiven, wie die Kommunalverwal-
tungen eine Zwangsbeschäftigung der Juden praktizierten und die
Reichbehörden diese Initiativen aufnahmen. Dabei werden die ver-
schiedenen Lager und Lagersysteme ebenso angesprochen wie das
Spannungsverhältnis von Zwangsarbeit, Rüstungsinteressen und Depor-
tation.)*

Ulrich Herbert
„Weltanschauung, Kalkül und ‚Sachzwang'.
Ökonomische Aspekte der ‚Endlösung der Judenfrage'"
In: Rolf Steininger (Hg.), Der Umgang mit dem Holocaust.
Europa – USA – Israel, Wien, Köln und Weimar 1994, S. 45–59
*(Der Autor untersucht den Mangel an Zwangsarbeitern in der Kriegs-
wirtschaft seit der Jahreswende 1941/42 in seiner Wirkung auf die
Entscheidung zum Massenmord an potentiellen jüdischen Arbeitskräf-
ten. Obwohl die Arbeitsleistung von Juden einerseits eine wichtige
Bedingung zu Verzögerung der Mordaktionen war, zeigte andererseits
die bewußte Herbeiführung der Arbeitsunfähigkeit von Juden in den
Ghettos und Lagern, daß ökonomische Aspekte hinter das Primat der
„Weltanschauung" zurücktreten mußten.)*

Hermann Kaienburg
„Jüdische Arbeitslager an der ‚Straße der SS'"
In: 1999. Zeitschrift für Sozialgeschichte des 20. und 21. Jahrhunderts,
Jg. 11/1996, S. 13–39
*(Anhand der Einrichtung von Baustellen mit jüdischen Zwangsarbei-
tern entlang der projektierten Durchgangsstraße IV zu Beginn des Jah-*

res 1942 diskutiert der Autor die Frage, ob Heydrichs Redewendung, wonach die deportierten Juden „straßenbauend" weiter nach Osten verbracht werden sollten, lediglich Verschleierungstaktik war oder ob er hier eine reale Möglichkeit zur „Vernichtung durch Arbeit" andeutete.)

Dieter Maier
Arbeitseinsatz und Deportation. Die Mitwirkung der Arbeitsverwaltung bei der nationalsozialistischen Judenverfolgung in den Jahren 1938–1945
Berlin 1994, (Publikationen der Gedenkstätte Haus der Wannsee-Konferenz, Bd. 4)
(Studie über die Zwangsbeschäftigung deutscher und österreichischer Juden und die Organisation durch die staatliche Arbeitsverwaltung bis in die Deportationsphase seit 1941. Die Rolle der Arbeitsämter bei der Rückstellung von jüdischen Zwangsbeschäftigten von den Verschleppungsmaßnahmen und die allgemeine „Arbeitseinsatzlage" im Krieg werden analysiert.)

V. Regional- und Lokalstudien

Jean Ancel
„The Impact of the Course of the War on Romanian Jewish Policies"
In: *Asher Cohen, Yehoakim Cochavi und Yoav Gelber (Hg.),*
The Shoah and the War, N.Y., San Francisco, Bern 1992, S.177–208
(Der Autor analysiert die Stufen der rumänischen Verfolgungspolitik, die geprägt ist von der Siegeserwartung als Bündnispartner Deutschlands, der Ernüchterung anläßlich der deutsch-rumänischen Probleme in Bessarabien und in der Bukowina und einiger taktischer Wendungen anläßlich der ersten Siege der Alliierten seit der zweiten Jahreshälfte 1942.)

Christopher Browning
Ganz normale Männer. Das Reserve-Polizeibataillon 101 und die „Endlösung" in Polen
Reinbek 1993
(Auf der Basis von über einhundert gerichtlichen Vernehmungsprotokollen ehemaliger Angehöriger des Reserve-Polizeibataillons 101 zeichnet der Autor nach, welche Mechanismen aus „ganz normalen Polizeireservisten" Massenmörder werden ließen.)

Andrew Ezergailis
The Holocaust in Latvia 1941–1944. The missing Center
Riga 1996
(Regionalstudie über den Massenmord an den lettischen Juden, über die Motive der lettischen Kollaborateure und die Rolle des Antisemitimus, Antibolschewismus und Nationalismus in der lettischen Gesellschaft.)

Christian Gerlach
„Failure of Plans for an SS Extermination Camp in Mogilev, Belorussia"
In: Holocaust and Genocide Studies, Jg. 11/1997, S. 60–78
(Rekonstruktion eines Lagerprojekts in Mogilew, wohin die im November 1941 zu deportierenden deutschen Juden verschleppt werden sollten. Bis jetzt wurden dazu nur verstreute einzelne Belege gefunden, die lediglich als Indizien für ein solches Projekt gewertet werden können.)

Hannes Heer und Klaus Neumann (Hg.)
Vernichtungskrieg. Verbrechen der Wehrmacht 1941–1944
Hamburg 1995
(Aufsatzband, dessen Beiträge konkrete Wehrmachtsverbrechen, einzelne Militäreinheiten und Personen im Vernichtungskrieg gegen die Sowjetunion beleuchten. Ebenso finden sich Beiträge zum strafrechtlichen und historiographischen Umgang mit diesen Verbrechen nach 1945.)

Peter Klein (Hg.)
Die Einsatzgruppen in der besetzten Sowjetunion 1941/42.
Die Tätigkeits- und Lageberichte des Chefs der Sicherheitspolizei und des SD. Mit Beiträgen und Kommentaren von Andrej Angrick, Christian Gerlach, Dieter Pohl, Wolfgang Scheffler
Berlin 1997 (Publikationen der Gedenk- und Bildungsstätte Haus der Wannsee-Konferenz, Bd. 6)
(Kommentierte Quellenedition der Tätigkeits- und Lageberichte des RSHA zum Vorgehen der vier Einsatzgruppen in der Sowjetunion 1941/42, der Einsatzbefehle Heydrichs an diese Formationen und weiterer teilweise jüngst entdeckter Dokumente. Vier einführende Aufsätze zu den einzelnen Einsatzgruppen zeigen regionale Besonderheiten und offene Forschungsfragen auf.)

Joseph Michmann
„Planning for the Final Solution against the Background of Developments in Holland in 1941"
In: Yad Vashem Studies, Jg. 17/1986, S. 145–180
(Einer der wenigen Beiträge, welche die Entwicklung zum Massenmord an den Juden aus den regionalen Gegebenheiten und Planungen in einem besetzten westeuropäischen Land nachzeichnet.)

Robert-Jan Van Pelt
„A Site in Search of a Mission"
In: Yisrael Gutman, Michael Berenbaum (Hg.)
Anatomy of the Auschwitz Death Camp,
Bloomington / Indianapolis 1994, S. 93–156
(Der Aufsatz konzentriert sich auf die sich mehrmals ergänzenden Funktionsbestimmungen des Konzentrationslagers Auschwitz in einem projektierten deutschen Siedlungsgebiet. Als Haftlager für Polen, Arbeitskräftereservoir zugunsten der I.G.-Farbenindustrie, als landwirtschaftliche Versuchskolonie und zuletzt als Kriegsgefangenenlager, welches dennoch in erster Linie Juden zur Ermordung aufnahm, bestimmte das „Interessengebiet Auschwitz" die Infrastruktur einer ganzen Region.)

Dieter Pohl
Von der ‚Judenpolitik' zum Judenmord.
Der Distrikt Lublin des Generalgouvernements 1941–1944
Frankfurt/Main, Berlin, Bern u.a. 1993
(Münchner Studien zur neueren und neuesten Geschichte, Bd. 3)
(Regionalstudie über denjenigen Distrikt des Generalgouvernements, der zwischen 1939 und 1941/42 vom geplanten „Judenreservat" zum Ort des Massenmordes an polnischen, slowakischen, deutschen, tschechischen und niederländischen Juden durch die „Aktion Reinhard" wurde.)

Dieter Pohl
Nationalsozialistische Judenverfolgung in Ostgalizien 1941–1944.
Organisation und Durchführung eines staatlichen Massenverbrechens
München 1996 (Studien zur Zeitgeschichte, Bd. 50)
(Regionalgeschichtliche Arbeit über die Ermordung der jüdischen Bevölkerung im südöstlichen Polen, wobei die regionalen Ausprägun-

gen des Massenmordes mit den zentralen Entscheidungen in Berlin in Beziehung gesetzt werden. Viele Aspekte der Judenverfolgung, wie etwa die Rolle von Zwangsarbeit im Vernichtungsprozeß oder die Haltung der einheimischen Bevölkerung werden umfassend ausgeleuchtet.)

Bernhard Press
Judenmord in Lettland 1941–1945
Berlin 1992 (Dokumente-Texte-Materialien, Bd. 4)
(Auf eigenen Erfahrungen, Interviews und Quellenstudium fußende Studie über die Ereignisse im Ghetto von Riga und die Ermordung der lettischen und dorthin deportierten deutschen Juden.)

Thomas Sandkühler
Endlösung in Galizien. Der Judenmord in Ostpolen und die Rettungsinitiativen von Berthold Beitz 1941–1944
Bonn 1996
(Regionalstudie zu den einzelnen Phasen der Judenverfolgung und des Massenmordes in Ostpolen, die anhand eines Einzelfalles die Möglichkeiten von Hilfeleistung bis hin zur Rettung vor der Ermordung aufzeigt.)

Demnächst zu erwartende Arbeiten (Arbeitstitel)

Michael Alberti
Judenverfolgung im Reichsgau Wartheland

Andrej Angrick
Die Einsatzgruppe D auf dem Weg in die Sowjetunion
Hamburg 1998

Christoph Dieckmann
Deutsche Besatzungspolitik in Litauen
ca. 1999

Christian Gerlach
Deutsche Besatzungspolitik in Weißrußland
Hamburg 1998

Andrej Angrick und Peter Klein
Die deutschen Juden im Ghetto von Riga

Peter Klein
Das „Getto Litzmannstadt" in der „Endlösung der Judenfrage"

Der Dienstkalender Heinrich Himmlers
Ediert, kommentiert und mit einer Einleitung versehen von Peter Witte, Michael Wildt, Martina Vogt, Dieter Pohl, Peter Klein, Christian Gerlach, Christoph Dieckmann und Andrej Angrick.
Herausgegeben von der Forschungsstelle für Zeitgeschichte Hamburg.
Hamburg 1998

VI. Biographische Arbeiten

Richard Breitman
Der Architekt der ‚Endlösung'. Himmler und die Vernichtung der europäischen Juden
Paderborn, München u.a. 1996
(Ausführliche Untersuchung der Rolle Himmlers bei der Konzeption der verschiedenen „Lösungsmöglichkeiten der Judenfrage" seit 1938. Himmlers Visionen zur Umgestaltung des neu eroberten osteuropäischen Gebietes werden hier als treibende Kraft geschildert, die ihn – eher als Hitlers Komplizen, denn als Untergebenen – zum Exekutoren von Hitlers Mordbefehl werden ließ.)

Ulrich Herbert
Best. Biographische Studien über Radikalismus, Weltanschauung und Vernunft 1903–1989
Bonn 1996
(Materialreiche Arbeit, die das Leben, Denken und Handeln eines der wichtigsten Figuren innerhalb des nationalsozialistischen Polizeiapparates analysiert. Dr. Werner Bests Weg vom völkischen Studenten zum Kommentator und Organisator der juristischen Grundlagen einer präventiv gegen potentielle Regimegegner wirkenden Polizei, vom „Kriegsverurteilten" zum stillen Organisator der Verteidigung alter Kameraden in der Bundesrepublik und Stichwortgeber der Nazi-Amnestie sowie sein Wiederaufstieg als Jurist wird hier eingebettet in die politische Gesellschaftsgeschichte West-Deutschlands.)

Kurt Pätzold und Erika Schwarz
Auschwitz war für mich nur ein Bahnhof.
Franz Novak – der Transportoffizier Adolf Eichmanns
Berlin 1994 (Dokumente-Texte-Materialien, Bd. 13)
(Mit Dokumenten und Nachkriegsäußerungen versehene biographische Studie über ein Mitglied von Eichmanns Referat IV B 4 im RSHA, dessen Aufgabe die Organisation von Deportationszügen in Abstimmung mit den Reichsbahnbehörden war.

Andreas Seeger
„Gestapo-Müller". Die Karriere eines Schreibtischtäters
Berlin 1996
(Biographische Annäherung an den Leiter des Amtes IV im RSHA mit einer kurzen Übersicht über dessen Verantwortungsbereiche.)

Michael Wildt
„Der Hamburger Gestapochef Bruno Streckenbach.
Eine nationalsozialistische Karriere"
In: Frank Bajohr und Joachim Szodrzynski (Hg.),
Hamburg in der NS-Zeit. Ergebnisse neuerer Forschungen,
Hamburg 1995, S. 93–124 (Forum Zeitgeschichte, Bd. 5)
(Eine Tätertypologie anhand der Laufbahn des ehemaligen Inspekteurs der Sicherheitspolizei in Hamburg, Bruno Streckenbach, der bei der Besatzungspolitik in Polen als Einsatzgruppenführer und späterer Befehlshaber der Sicherheitspolizei eine ausschlaggebende Rolle spielte. Als Chef des Amtes I im RSHA seit 1940 war er für die Zusammenstellung der Einsatzgruppen für den Krieg gegen die Sowjetunion führend verantwortlich. Aus der Gefangenschaft in der Sowjetunion 1955 zurückgekehrt, spielte er wieder eine maßgebliche Rolle als Angeschuldigter und Zeuge in mehreren deutschen Strafverfahren.)

FAKSIMILE

Protokoll der Wannsee-Konferenz vom 20. Januar 1942 zusammen mit drei Schreiben Heydrichs an den Vertreter des Auswärtigen Amtes

Das bisher einzige bekannte, vollständig überlieferte Exemplar (Nummer 16 von insgesamt 30 Ausfertigungen) des Protokolls befindet sich im Politischen Archiv des Auswärtigen Amtes. Das Exemplar entging vermutlich der Aktenvernichtung 1945, weil es zusammen mit anderen Unterlagen aus dem Büro seines Empfängers und Teilnehmers an der Konferenz – Unterstaatssekretär Martin Luther – zwecks Untersuchung seiner möglichen Beteiligung an einer Verschwörung gegen den NS-Außenminister Joachim von Ribbentrop aus dem Amt entfernt worden war. Luther wurde im Februar 1943 verhaftet und ins KL Sachsenhausen eingeliefert. Er verstarb Anfang Mai 1945 in einem Berliner Krankenhaus. Im Auswärtigen Amt hatte Luther besonders skrupellos die Auslieferung der Juden aus den mit Nazi-Deutschland verbündeten Staaten betrieben.

Der Stab des US-Anklägers Robert Kempner entdeckte das Dokument 1947 in Berlin. Es wurde erstmals 1948 anläßlich des sogenannten „Wilhelmstraßen-Prozesses" gegen leitende Ministerialbeamte der Öffentlichkeit bekannt. Das Original zirkulierte anschließend bei verschiedenen alliierten und dann deutschen Gerichten. Es ist deshalb nicht mehr festzustellen, ob alle Unterstreichungen und Anmerkungen allein von der Hand Luthers sind. Nach Auskunft des Politischen Archivs befand sich das Dokument während der Berlin-Blockade in England und wurde in den 1950er Jahren an das Auswärtige Amt übergeben. Eine Kopie des Wannsee-Protokolls spielte eine erhebliche Rolle beim Prozeß gegen dessen Verfasser Adolf Eichmann 1960 in Jerusalem.

Quellenangabe für folgende Dokumente:
Politisches Archiv des Auswärtigen Amtes, Inland II g 177, Blatt 165–188. Bundesarchiv Potsdam, 99 Js 1 FC, Eichmann-Prozeß, Dok. 461 (Schreiben Görings vom 31. Juli 1941).

Der Chef der Sicherheitspolizei und des SD

IV B 4 — 3076/41g (1180)

Bitte in der Antwort vorstehendes Geschäftszeichen u. Datum anzugeben

Berlin SW 11, den 29. November 1941
Prinz-Albrecht-Straße 8
Fernsprecher: Ortsverkehr 120040 · Fernverkehr 126421

Persönlich.

Auswärtiges Amt
D III 709 g
2 3. DEZ. 1941
Amt (2 fach) Bepp. b. Eing.

Herrn
Unterstaatssekretär Luther
im Auswärtigen Amt

Berlin.

4/12

Lieber Parteigenosse Luther !

Am 31.7.1941 beauftragte mich der
Reichsmarschall des Großdeutschen Reiches, unter Beteiligung der in Frage kommenden anderen
Zentralinstanzen alle erforderlichen Vorbereitungen in organisatorischer, sachlicher und materieller Hinsicht für eine Gesamtlösung der
Judenfrage in Europa zu treffen und ihm in Bäl-
de einen Gesamtentwurf hierüber vorzulegen.
Eine Fotokopie dieser Bestellung lege ich meinem Schreiben bei.

In Anbetracht der außerordentlichen
Bedeutung, die diesen Fragen zuzumessen ist
und im Interesse der Erreichung einer gleichen

K210419

.∕.

Auffassung bei den in Betracht kommenden
Zentralinstanzen an den übrigen mit dieser
Endlösung zusammenhängenden Arbeiten rege
ich an, diese Probleme zum Gegenstand einer
gemeinsamen Aussprache zu machen, zumal
seit dem 15.10.1941 bereits in laufenden
Transporten Juden aus dem Reichsgebiet einschließlich Protektorat Böhmen und Mähren
nach dem Osten evakuiert werden.

Ich lade Sie daher zu einer solchen Besprechung mit anschließendem Frühstück zum 9. Dezember 1941, 12,00 Uhr, in
die Dienststelle der Internationalen Kriminalpolizeilichen Kommission, Berlin, Am
Kleinen Wannsee Nr. 16, 56–58, ein.

Ähnliche Schreiben habe ich an
Herrn Generalgouverneur Dr. Frank, Herrn
Gauleiter Dr. Meyer, die Herren Staatsse-
kretäre Stuckart, Dr. Schlegelberger, Gutte-
rer und Neumann, sowie an Herrn Reichsamts-
leiter Dr. Leibbrandt, ⚡-Obergruppenführer
Krüger, ⚡-Gruppenführer Hoffmann, ⚡-Gruppen-
führer Greifelt, ⚡-Oberführer Klopfer und an
Herrn Ministerialdirektor Kritzinger gerich-
tet.

Heil Hitler!

Ihr

1 Anlage.

Der Reichsmarschall des Großdeutschen   Berlin, den 31. 7.1941
Reiches

Beauftragter für den Vierjahresplan

Vorsitzender
des Ministerrats für die Reichsvertei-
digung

       An den

         Chef der Sicherheitspolizei und des SD
         ⚡-Gruppenführer H e y d r i c h

           B e r l i n .

       Jn Ergänzung der Jhnen bereits mit Erlaß vom
24.I.39 übertragenen Aufgabe, die Judenfrage in Form der
Auswanderung oder Evakuierung einer den Zeitverhält-
nissen entsprechend möglichst günstigsten Lösung zuzu -
führen, beauftrage ich Sie hiermit, alle erforderlichen
Vorbereitungen in organisatorischer, sachlicher und
materieller Hinsicht zu treffen für eine Gesamtlösung
der Judenfrage im deutschen Einflußgebiet in Europa.

       Soferne hierbei die Zuständigkeiten anderer
Zentralinstanzen berührt werden, sind diese zu betei -
ligen.

       Jch beauftrage Sie weiter, mir in Bälde einen
Gesamtentwurf über die organisatorischen, sachlichen
und materiellen Vorausmaßnahmen zur Durchführung der
angestrebten Endlösung der Judenfrage vorzulegen.

Der Chef
der Sicherheitspolizei und des SD

Prag, den 8. Januar 1942

C.d.S.: B.Nr. 18 /42

Auswärtiges Amt
D III 21. 9
eing. 1 2. JAN. 1942
Bnf. (fach) Dopp. d.

An
Herrn

Unterstaatssekretär L u t h e r
– Auswärtiges Amt –
B E R L I N

Lieber Parteigenosse L u t h e r !

Die für den 9.12.1941 anberaumt
gewesene Besprechung über mit der Endlösung der
Judenfrage zusammenhängende Fragen mußte ich s.Zt.
aufgrund plötzlich bekannt gegebener Ereignisse
und der damit verbundenen Inanspruchnahme eines
Teiles der geladenen Herren in letzter Minute
leider absagen.

Da die zur Erörterung stehenden
Fragen keinen längeren Aufschub zulassen, lade
ich Sie daher neuerlich zu einer

Besprechung mit anschließendem Frühstück
zum 20. Januar 1942 um 12,00 Uhr
Berlin, Am Grossen Wannsee 56-58

ein.

Der in meinem letzten Einladungsschreiben angeführte Kreis der geladenen Herren
bleibt unverändert.

Heil Hitler !

Ihr

K210415

372039

IV B 4 - 1456/41 gRs.(1344)

26. Februar 1942

Geheime Reichssache!

An den
Herrn Unterstaatssekretär L u t h e r
im Auswärtigen Amt

B e r l i n W 8
Wilhelmstr. 74/76

Lieber Parteigenosse Luther!

Als Anlage übersende ich das Protokoll über
die am 20.1.1942 stattgefundene Absprache. Da nunmehr
erfreulicherweise die Grundlinie hinsichtlich der
praktischen Durchführung der Endlösung der Judenfrage
festgelegt ist und seitens der hieran beteiligten
Stellen völlige Übereinstimmung herrscht, darf ich
Sie bitten, Ihren Sachbearbeiter zwecks Fertigstellung
der vom Reichsmarschall gewünschten Vorlage, in der
die organisatorischen, technischen und materiellen
Voraussetzungen zur praktischen Inangriffnahme der
Lösungsarbeiten aufgezeigt werden sollen, zu den hierfür notwendigen Detailbesprechungen abzustellen.

Die erste Besprechung dieser Art beabsichtige
ich am 6.März 1942, 10.30 Uhr, in Berlin,Kurfürsten-
strasse 116, abhalten zu lassen. Ich darf Sie bitten,
Ihren Sachbearbeiter zu veranlassen, sich dieserhalb
mit meinem zuständigen Referenten, dem //-Obersturm-
bannführer E i c h m a n n , ins Benehmen zu setzen.

H e i l   H i t l e r !

Ihr

K210399

372023

1 Anlage!

Geheime Reichssache!

Besprechungsprotokoll.

I.   An der am 20.1.1942 in Berlin, Am Großen Wannsee Nr. 56/58, stattgefundenen Besprechung über die Endlösung der Judenfrage nahmen teil:

Gauleiter Dr. Meyer und Reichsamtsleiter Dr. Leibbrandt	Reichsministerium für die besetzten Ostgebiete
Staatssekretär Dr. Stuckart	Reichsministerium des Innern
Staatssekretär Neumann	Beauftragter für den Vierjahresplan
Staatssekretär Dr. Freisler	Reichsjustizministerium
Staatssekretär Dr. Bühler	Amt des Generalgouverneurs
Unterstaatssekretär Luther	Auswärtiges Amt
SS-Oberführer Klopfer	Partei-Kanzlei
Ministerialdirektor Kritzinger	Reichskanzlei

K210400

372024

d.II. 29.3.R.

⚡⚡-Gruppenführer Hofmann	Rasse- und Siedlungs-hauptamt
⚡⚡-Gruppenführer Müller	Reichssicherheits-hauptamt
⚡⚡-Obersturmbannführer Eichmann	
⚡⚡-Oberführer Dr. Schöngarth Befehlshaber der Sicherheits- polizei und des SD im General- gouvernement	Sicherheitspolizei und SD
⚡⚡-Sturmbannführer Dr. Lange Kommandeur der Sicherheitspoli- zei und des SD für den General- bezirk Lettland, als Vertreter des Befehlshabers der Sicher- heitspolizei und des SD für das Reichskommissariat Ostland.	Sicherheitspolizei und SD

II.   Chef der Sicherheitspolizei und des SD,
⚡⚡-Obergruppenführer H e y d r i c h , teilte
eingangs seine Bestellung zum Beauftragten für die
Vorbereitung der Endlösung der europäischen Judenfrage durch den Reichsmarschall mit und wies darauf hin, daß zu dieser Besprechung geladen wurde,
um Klarheit in grundsätzlichen Fragen zu schaffen.
Der Wunsch des Reichsmarschalls, ihm einen Entwurf über die organisatorischen, sachlichen und
materiellen Belange im Hinblick auf die Endlösung
der europäischen Judenfrage zu übersenden, erfor-
dert die vorherige gemeinsame Behandlung aller
an diesen Fragen unmittelbar beteiligten Zentralinstanzen im Hinblick auf die Parallelisierung
der Linienführung.

Die Federführung bei der Bearbeitung der
Endlösung der Judenfrage liege ohne Rücksicht auf
geographische Grenzen zentral beim Reichsführer-ϟϟ
und Chef der Deutschen Polizei (Chef der Sicherheitspolizei und des SD).

Der Chef der Sicherheitspolizei und des
SD gab sodann einen kurzen Rückblick über den bisher geführten Kampf gegen diesen Gegner. Die we-
sentlichsten Momente bilden

    a/ die Zurückdrängung der Juden aus den
        einzelnen Lebensgebieten des deut-
        schen Volkes,

    b/ die Zurückdrängung der Juden aus dem
        Lebensraum des deutschen Volkes.

Im Vollzug dieser Bestrebungen wurde als
einzige vorläufige Lösungsmöglichkeit die Beschleunigung der Auswanderung der Juden aus dem Reichsgebiet verstärkt und planmäßig in Angriff genommen.

Auf Anordnung des Reichsmarschalls wurde
im Januar 1939 eine Reichszentrale für jüdische Auswanderung errichtet, mit deren Leitung der Chef der
Sicherheitspolizei und des SD betraut wurde. Sie
hatte insbesondere die Aufgabe

    a/ alle Maßnahmen zur Vorbereitung einer
        verstärkten Auswanderung der Juden zu
        treffen,

    b/ den Auswanderungsstrom zu lenken,

    c/ die Durchführung der Auswanderung im
        Einzelfall zu beschleunigen.

Das Aufgabenziel war, auf legale Weise
den deutschen Lebensraum von Juden zu säubern.

Über die Nachteile, die eine solche Auswanderungsforcierung mit sich brachte, waren sich alle Stellen im klaren. Sie mußten jedoch angesichts des Fehlens anderer Lösungsmöglichkeiten vorerst in Kauf genommen werden.

Die Auswanderungsarbeiten waren in der Folgezeit nicht nur ein deutsches Problem, sondern auch ein Problem, mit dem sich die Behörden der Ziel- bzw. Einwandererländer zu befassen hatten. Die finanziellen Schwierigkeiten, wie Erhöhung der Vorzeige- und Landungsgelder seitens der verschiedenen ausländischen Regierungen, fehlende Schiffsplätze, laufend verschärfte Einwanderungsbeschränkungen oder -sperren, erschwerten die Auswanderungsbestrebungen außerordentlich. Trotz dieser Schwierigkeiten wurden seit der Machtübernahme bis zum Stichtag 31.10.1941 insgesamt rund 537.000 Juden zur Auswanderung gebracht. Davon

vom 30.1.1933 aus dem Altreich rd. 360.000
vom 15.3.1938 aus der Ostmark rd. 147.000
vom 15.3.1939 aus dem Protektorat
Böhmen und Mähren rd. 30.000.

Die Finanzierung der Auswanderung erfolgte durch die Juden bzw. jüdisch-politischen Organisationen selbst. Um den Verbleib der verproletarisierten Juden zu vermeiden, wurde nach dem Grundsatz verfahren, daß die vermögenden Juden die Abwanderung der vermögenslosen Juden zu finanzieren haben; hier wurde, je nach Vermögen gestaffelt, eine entsprechende Umlage bzw. Auswandererabgabe vorgeschrieben, die zur Bestreitung der finanziellen Obliegenheiten im Zuge der Abwanderung vermögensloser Juden verwandt wurde.

Neben dem Reichsmark-Aufkommen sind De-
visen für Vorzeige- und Landungsgelder erforderlich gewesen. Um den deutschen Devisenschatz zu
schonen, wurden die jüdischen Finanzinstitutionen
des Auslandes durch die jüdischen Organisationen
des Inlandes verhalten, für die Beitreibung entsprechender Devisenaufkommen Sorge zu tragen.
Hier wurden durch diese ausländischen Juden im
Schenkungswege bis zum 30.10.1941 insgesamt rund
9.500.000 Dollar zur Verfügung gestellt.

Inzwischen hat der Reichsführer-ϟϟ und
Chef der Deutschen Polizei im Hinblick auf die
Gefahren einer Auswanderung im Kriege und im Hinblick auf die Möglichkeiten des Ostens die Auswanderung von Juden verboten.

III.   Anstelle der Auswanderung ist nunmehr
als weitere Lösungsmöglichkeit nach entsprechender vorheriger Genehmigung durch den Führer die
Evakuierung der Juden nach dem Osten getreten.

Diese Aktionen sind jedoch lediglich
als Ausweichmöglichkeiten anzusprechen, doch
werden hier bereits jene praktischen Erfahrungen gesammelt, die im Hinblick auf die kommende
Endlösung der Judenfrage von wichtiger Bedeutung
sind.

Im Zuge dieser Endlösung der europäischen Judenfrage kommen rund 11 Millionen Juden in Betracht, die sich wie folgt auf die einzelnen Länder verteilen:

K210404

- 6 -

L a n d	Zahl
A. Altreich	131.800
Ostmark	43.700
Ostgebiete	420.000
Generalgouvernement	2.284.000
Bialystok	400.000
Protektorat Böhmen und **Mähren**	74.200
Estland - judenfrei -	
Lettland	3.500
Litauen	34.000
Belgien	43.000
Dänemark	5.600
Frankreich / Besetztes **Gebiet**	165.000
Unbesetztes **Gebiet**	700.000
Griechenland	69.600
Niederlande	160.800
Norwegen	1.300
B. Bulgarien	48.000
England	330.000
Finnland	2.300
Irland	4.000
Italien einschl. Sardinien	58.000
Albanien	200
Kroatien	40.000
Portugal	3.000
Rumänien einschl. Bessarabien	342.000
Schweden	8.000
Schweiz	18.000
Serbien	10.000
Slowakei	88.000
Spanien	6.000
Türkei (europ. Teil)	55.500
Ungarn	742.800
UdSSR	5.000.000
Ukraine 2.994.684	
Weißrußland aus-schl. Bialystok 446.484	
Zusammen: über	11.000.000

Bei den angegebenen Judenzahlen der verschiedenen ausländischen Staaten handelt es sich
jedoch nur um Glaubensjuden, da die Begriffsbe-
stimmungen der Juden nach rassischen Grundsätzen
teilweise dort noch fehlen. Die Behandlung des
Problems in den einzelnen Ländern wird im Hinblick
auf die allgemeine Haltung und Auffassung auf gewisse Schwierigkeiten stoßen, besonders in Ungarn
und Rumänien. So kann sich z.B. heute noch in Rumänien der Jude gegen Geld entsprechende Dokumente, die ihm eine fremde Staatsangehörigkeit amt-
lich bescheinigen, beschaffen.

Der Einfluß der Juden auf alle Gebiete
in der UdSSR ist bekannt. Im europäischen Gebiet
leben etwa 5 Millionen, im asiatischen Raum knapp
1/4 Million Juden.

Die berufsständische Aufgliederung der
im europäischen Gebiet der UdSSR ansässigen Juden
war etwa folgende:

In der Landwirtschaft	9,1 %
als städtische Arbeiter	14,8 %
im Handel	20,0 %
als Staatsarbeiter angestellt	23,4 %
in den privaten Berufen - Heilkunde, Presse, Theater, usw.	32,7 %.

Unter entsprechender Leitung sollen nun
im Zuge der Endlösung die Juden in geeigneter Weise im Osten zum Arbeitseinsatz kommen. In großen
Arbeitskolonnen, unter Trennung der Geschlechter,
werden die arbeitsfähigen Juden straßenbauend in
diese Gebiete geführt, wobei zweifellos ein Großteil durch natürliche Verminderung ausfallen wird

Der allfällig endlich verbleibende Restbestand wird, da es sich bei diesem zweifellos um
den widerstandsfähigsten Teil handelt, entsprechend
behandelt werden müssen, da dieser, eine natürliche
Auslese darstellend, bei Freilassung als Keimzelle
eines neuen jüdischen Aufbaues anzusprechen ist.
(Siehe die Erfahrung der Geschichte.)

Im Zuge der praktischen Durchführung der
Endlösung wird Europa vom Westen nach Osten durchgekämmt. Das Reichsgebiet einschließlich Protektorat Böhmen und Mähren wird, allein schon aus Gründen der Wohnungsfrage und sonstigen sozial-politi-
schen Notwendigkeiten, vorweggenommen werden müssen.

Die evakuierten Juden werden zunächst Zug
um Zug in sogenannte Durchgangsghettos verbracht,
um von dort aus weiter nach dem Osten transportiert
zu werden.

Wichtige Voraussetzung, so führte ⁎⁎-Ober-
gruppenführer H e y d r i c h weiter aus, für die
Durchführung der Evakuierung überhaupt, ist die genaue Festlegung des in Betracht kommenden Personen-
kreises.

Es ist beabsichtigt, Juden im Alter von
über 65 Jahren nicht zu evakuieren, sondern sie einem Altersghetto - vorgesehen ist Theresienstadt -
zu überstellen.

Neben diesen Altersklassen - von den am
31.10.1941 sich im Altreich und der Ostmark befindlichen etwa 280.000 Juden sind etwa 30 % über 65 Jahre alt - finden in den jüdischen Altersghettos weiterhin die schwerkriegsbeschädigten Juden und Juden
mit Kriegsauszeichnungen (EK I) Aufnahme. Mit dieser

zweckmäßigen Lösung werden mit einem Schlag die
vielen Interventionen ausgeschaltet.

Der Beginn der einzelnen größeren Evakuierungsaktionen wird weitgehend von der militärischen Entwicklung abhängig sein. Bezüglich der Behandlung der Endlösung in den von uns besetzten und
beeinflußten europäischen Gebieten wurde vorgeschla-
gen, daß die in Betracht kommenden Sachbearbeiter
des Auswärtigen Amtes sich mit dem zuständigen Referenten der Sicherheitspolizei und des SD bespre-
chen.

In der Slowakei und Kroatien ist die Angelegenheit nicht mehr allzu schwer, da die wesentlich-
sten Kernfragen in dieser Hinsicht dort bereits einer Lösung zugeführt wurden. In Rumänien hat die Regierung inzwischen ebenfalls einen Judenbeauftragten
eingesetzt. Zur Regelung der Frage in Ungarn ist es
erforderlich, in Zeitkürze einen Berater für Juden-
fragen der Ungarischen Regierung aufzuoktroyieren.

Hinsichtlich der Aufnahme der Vorbereitungen zur Regelung des Problems in Italien hält ▓-Ober-
gruppenführer H e y d r i c h eine Verbindung ▓
Polizei-Chef in diesen Belangen für angebracht.

Im besetzten und unbesetzten Frankreich
wird die Erfassung der Juden zur Evakuierung aller
Wahrscheinlichkeit nach ohne große Schwierigkeiten
vor sich gehen können.

Unterstaatssekretär L u t h e r teilte
hierzu mit, daß bei tiefgehender Behandlung dieses
Problems in einigen Ländern, so in den nordischen
Staaten, Schwierigkeiten auftauchen werden, und es
sich daher empfiehlt, diese Länder vorerst noch zu-

rückzustellen. In Anbetracht der hier in Frage kommenden geringen Judenzahlen bildet diese Zurückstel-
lung ohnedies keine wesentliche Einschränkung.

Dafür sieht das Auswärtige Amt für den
Südosten und Westen Europas keine großen Schwierigkeiten.

$\mathcal{H}$-Gruppenführer H o f m a n n beabsichtigt, einen Sachbearbeiter des Rasse- und Siedlungs-
hauptamtes zur allgemeinen Orientierung dann nach
Ungarn mitsenden zu wollen, wenn seitens des Chefs
der Sicherheitspolizei und des SD die Angelegenheit
dort in Angriff genommen wird. Es wurde festgelegt,
diesen Sachbearbeiter des Rasse- und Siedlungshaupt-
amtes, der nicht aktiv werden soll, vorübergehend
offiziell als Gehilfen zum Polizei-Attaché abzustellen.

IV.   Im Zuge der Endlösungsvorhaben sollen die
Nürnberger Gesetze gewissermaßen die Grundlage bilden, wobei Voraussetzung für die restlose Bereini-
gung des Problems auch die Lösung der Mischehen-
und Mischlingsfragen ist.

Chef der Sicherheitspolizei und des SD
erörtert im Hinblick auf ein Schreiben des Chefs
der Reichskanzlei zunächst theoretisch die nach-
stehenden Punkte:

1) Behandlung der Mischlinge 1. Grades.

Mischlinge 1. Grades sind im Hinblick
auf die Endlösung der Judenfrage den Juden
gleichgestellt.

K210409

372033

Von dieser Behandlung werden ausgenommen:

⟨ a) Mischlinge 1. Grades verheiratet mit
   Deutschblütigen, aus deren Ehe Kinder
   (Mischlinge 2. Grades) hervorgegangen
   sind. Diese Mischlinge 2. Grades sind
   im wesentlichen den Deutschen gleichgestellt.

b) Mischlinge 1. Grades, für die von den
   höchsten Instanzen der Partei und des
   Staates bisher auf irgendwelchen Le-
   bensgebieten Ausnahmegenehmigungen er-
   teilt worden sind. ⟩
   Jeder Einzelfall muß überprüft werden,
   wobei nicht ausgeschlossen wird, daß
   die Entscheidung nochmals zu Ungunsten
   des Mischlings ausfällt.

Voraussetzungen einer Ausnahmebewilligung
müssen stets grundsätzliche Verdienste des in
Frage stehenden Mischlings selbst sein. (Nicht
Verdienste des deutschblütigen Eltern- oder Ehe-
teiles.)

Der von der Evakuierung auszunehmende
Mischling 1. Grades wird – um jede Nachkommen-
schaft zu verhindern und das Mischlingsproblem
endgültig zu bereinigen – sterilisiert. Die
Sterilisierung erfolgt freiwillig. Sie ist aber
Voraussetzung des Verbleibens im Reich. Der ste-
rilisierte "Mischling" ist in der Folgezeit von
allen einengenden Bestimmungen, denen er bislang
unterworfen ist, befreit.

2) Behandlung der Mischlinge 2. Grades.

Die Mischlinge 2. Grades werden grundsätzlich den Deutschblütigen zugeschlagen, mit
Ausnahme folgender Fälle, in denen die Mischlinge 2. Grades den Juden gleichgestellt werden:

a) Herkunft des Mischlings 2. Grades
   aus einer Bastardehe (beide Teile
   Mischlinge).

b) Rassisch besonders ungünstiges Er-
   scheinungsbild des Mischlings 2.
   Grades, das ihn schon äußerlich
   zu den Juden rechnet.

c) Besonders schlechte polizeiliche
   und politische Beurteilung des
   Mischlings 2. Grades, die erkennen läßt, daß er sich wie ein Jude fühlt und benimmt.

Auch in diesen Fällen sollen aber dann
Ausnahmen nicht gemacht werden, wenn der Mischling 2. Grades deutschblütig verheiratet ist.

3) Ehen zwischen Volljuden und Deutschblütigen.

Von Einzelfall zu Einzelfall muß hier
entschieden werden, ob der jüdische Teil evakuiert wird, oder ob er unter Berücksichtigung
auf die Auswirkungen einer solchen Maßnahme
auf die deutschen Verwandten dieser Mischehe
einem Altersghetto überstellt wird.

4) Ehen zwischen Mischlingen 1. Grades und
Deutschblütigen.

a) Ohne Kinder.

Sind aus der Ehe keine Kinder hervorgegangen, wird der Mischling 1. Grades
evakuiert bzw. einem Altersghetto überstellt. (Gleiche Behandlung wie bei Ehen
zwischen Volljuden und Deutschblütigen,
Punkt 3.)

K210411

372035

- 13 -

b) Mit Kindern.

Sind Kinder aus der Ehe hervorgegangen
(Mischlinge 2. Grades), werden sie,
wenn sie den Juden gleichgestellt werden, zusammen mit dem Mischling 1. Grades evakuiert bzw. einem Ghetto überstellt. Soweit diese Kinder Deutschen
gleichgestellt werden (Regelfälle),
sind sie von der Evakuierung auszunehmen und damit auch der Mischling 1. Grades.

5) Ehen zwischen Mischlingen 1. Grades und Mischlingen 1. Grades oder Juden.

Bei diesen Ehen (einschließlich der Kinder) werden alle Teile wie Juden behandelt und
daher evakuiert bzw. einem Altersghetto überstellt.

6) Ehen zwischen Mischlingen 1. Grades und Mischlingen 2. Grades.

Beide Eheteile werden ohne Rücksicht darauf, ob Kinder vorhanden sind oder nicht, evakuiert bzw. einem Altersghetto überstellt, da et-
waige Kinder rassenmäßig in der Regel einen stär-
keren jüdischen Bluteinschlag aufweisen, als die
jüdischen Mischlinge 2. Grade)

SS-Gruppenführer H o f m a n n steht auf
dem Standpunkt, daß von der Sterilisierung weitgehend Gebrauch gemacht werden muß; zumal der Misch-

K210412   372036

ling, vor die Wahl gestellt, ob er evakuiert oder
sterilisiert werden soll, sich lieber der Sterilisierung unterziehen würde.

Staatssekretär Dr. S t u c k a r t
stellt fest, daß die praktische Durchführung der
eben mitgeteilten Lösungsmöglichkeiten zur Berei-
nigung der Mischehen- und Mischlingsfragen in dieser Form eine unendliche Verwaltungsarbeit mit
sich bringen würde. Um zum anderen auf alle Fälle
auch den biologischen Tatsachen Rechnung zu tragen,
schlug Staatssekretär Dr. S t u c k a r t vor,
zur Zwangssterilisierung zu schreiten.

Zur Vereinfachung des Mischehenproblems
müßten ferner Möglichkeiten überlegt werden mit
dem Ziel, daß der Gesetzgeber etwa sagt: "Diese
Ehen sind geschieden".

Bezüglich der Frage der Auswirkung der
Judenevakuierung auf das Wirtschaftsleben erklärte Staatssekretär N e u m a n n , daß die in
kriegswichtigen Betrieben im Arbeitseinsatz stehenden Juden derzeit, solange noch kein Ersatz zur
Verfügung steht, nicht evakuiert werden könnten.

SS-Obergruppenführer H e y d r i c h
wies darauf hin, daß diese Juden nach den von ihm
genehmigten Richtlinien zur Durchführung der derzeit laufenden Evakuierungsaktionen ohnedies nicht
evakuiert würden.

Staatssekretär Dr. B ü h l e r stellte
fest, daß das Generalgouvernement es begrüßen würde, wenn mit der Endlösung dieser Frage im Generalgouvernement begonnen würde, weil einmal hier das
Transportproblem keine übergeordnete Rolle spielt

und arbeitseinsatzmäßige Gründe den Lauf dieser
Aktion nicht behindern würden. Juden müßten so
schnell wie möglich aus dem Gebiet des Generalgouvernements entfernt werden, weil gerade hier
der Jude als Seuchenträger eine eminente Gefahr
bedeutet und er zum anderen durch fortgesetzten
Schleichhandel die wirtschaftliche Struktur des
Landes dauernd in Unordnung bringt. Von den in
Frage kommenden etwa 2 1/2 Millionen Juden sei
überdies die Mehrzahl der Fälle <u>arbeitsunfähig.</u>

Staatssekretär Dr. B ü h l e r stellt
weiterhin fest, daß die Lösung der Judenfrage im
Generalgouvernement federführend beim Chef der
Sicherheitspolizei und des SD liegt und seine Arbeiten durch die Behörden des Generalgouvernements
unterstützt würden. Er hätte nur eine Bitte, die
Judenfrage in diesem Gebiet so schnell wie möglich
zu lösen.

Abschließend wurden die verschiedenen Ar-
ten der Lösungsmöglichkeiten besprochen, wobei sowohl seitens des Gauleiters Dr. M e y e r als auch
seitens des Staatssekretärs Dr. B ü h l e r der
Standpunkt vertreten wurde, gewisse vorbereitende
Arbeiten im Zuge der Endlösung gleich in den betreffenden Gebieten selbst durchzuführen, wobei
jedoch eine Beunruhigung der Bevölkerung vermieden
werden müsse.

Mit der Bitte des Chefs der Sicherheitspolizei und des SD an die Besprechungsteilnehmer,
ihm bei der Durchführung der Lösungsarbeiten entsprechende Unterstützung zu gewähren, wurde die
Besprechung geschlossen.

K210414   372033